# A ROOM OF ONE'S OWN 번역노트 I

## CHAPTER 1

## 자기만의 방 번역노트 I

| | |
|---|---|
| 발행 | 2024년 8월 28일 |
| 지은이 | 버지니아 울프 |
| 옮긴이 | 민현식 |
| 발행인 | 민병선 |
| 펴낸곳 | 도서출판 섬달 |
| 출판사등록 | 2022년 1월 7일 제2022-000038호 |
| 주소 | 인천 광역시 서구 청라한내로 7 |
| 전화 | 070-8736-1492 |
| ISBN | 979-11-92812-14-4(03840) |
| 가격 | 13000원 |

자기만의 방 번역노트 I

1장

# | 구성 |

버지니아 울프의 「자기만의 방」 1장의 내용을 영어 원문, 한국어 번역문, 1문장 번역문으로 구성하였습니다.

## A ROOM OF ONE'S OWN
### CHAPTER 1

But, you may say, we asked you to speak about women and fiction--what has that got to do with a room of one's own?

## 자기만의 방
### 1장

하지만, 당신은 말할지도 모른다. 우리가 당신에게 요청했던 것은 여성과 창작에 대한 것이었는데, 그것이 자기만의 방과 무슨 관련이 있냐고?

## A ROOM OF ONE'S OWN
### 자기만의 방
### CHAPTER 1
### 1장

But, you may say, we asked you to speak about women and fiction - what, has that got to do with a room of one's own?
하지만, 당신은 말할지도 모른다. 우리가 당신에게 요청했던 것은 여성과 창작에 대한 것이었는데, 그것이 자기만의 방과 무슨 관련이 있냐고?

# | 목차 |

# A ROOM OF ONE'S OWN

## CHAPTER 1

But, you may say, we asked you to speak about women and fiction--what has that got to do with a room of one's own? I will try to explain. When you asked me to speak about women and fiction I sat down on the banks of a river and began to wonder what the words meant. They might mean simply a few remarks about Fanny Burney; a few more about Jane Austen; a tribute to the Bronte and a sketch of Haworth Parsonage under snow; some witticisms if possible about Miss Mitford; a respectful allusion to George Eliot; a reference to Mrs. Gaskell and one would have done. But at second sight the words seemed not so simple. The title women and fiction might mean, and you may have meant it to mean, women and what they are like; or it might mean women and the fiction that they write; or it might mean women and the fiction that is written about them; or it might mean that somehow all three are inextricably mixed together and you want me to consider them in that light. But when I began to consider the subject in this last way, which seemed the most interesting, I soon saw that it had one fatal drawback. I should never be able to come to a conclusion. I should never be able to fulfil what is, I understand, the first duty of a lecturer--to hand you after an hour's discourse a nugget of pure truth to wrap up between the pages of your notebooks and keep on the mantelpiece for ever. All I could do was to offer you an opinion upon one minor point--a woman must have money and a room of her own if she is to write fiction; and that, as you will see, leaves the great problem of the true nature of woman and the true nature of fiction unsolved. I have shirked the duty of coming to a conclusion upon these two questions--women and fiction remain, so far as I am concerned, unsolved problems. But in order to make some amends I am going to do what I can to show you how I arrived at this opinion about the room and the money. I am going to develop in your presence as fully and freely as I can the train of thought which led me to think this. Perhaps if I lay bare the ideas, the prejudices, that lie behind this statement you will find that they have some bearing upon women and some upon fiction. At any rate, when a subject is highly controversial--and any question about sex is that--one cannot hope to tell the truth. One can only show how one came to hold whatever opinion one does hold. One can only give one's audience the chance of drawing their own conclusions as they observe the limitations, the prejudices, the idiosyncrasies of the speaker. Fiction here is likely to contain more truth than fact. Therefore I propose, making use of all the liberties and licences of a novelist, to tell you the story of the two days that preceded my coming here--how, bowed down by the weight of the subject which you have laid upon my shoulders, I pondered it, and made it work in and out of my daily life. I need not say that what I am about to describe has no existence; Oxbridge is an invention; so is Fernham; "I" is only a convenient term for somebody who has no real being. Lies will flow from my lips, but there may perhaps be some truth mixed up with them; it is for you to seek out this truth and to decide whether any part of it is worth keeping. If not, you will of course throw the whole of it into the waste-paper basket and forget all about it.

Here then was I (call me Mary Beton, Mary Seton, Mary Carmichael or by any name you please--it is not a matter of any importance) sitting on the banks of a river a week or two ago in fine October weather, lost in thought. That collar I have spoken of, women and fiction, the need of coming to some conclusion on a subject that raises all sorts of prejudices and passions, bowed my head to the ground. To the right and left bushes of some sort, golden and crimson, glowed with the colour, even it seemed burnt with the heat, of fire. On the further bank the willows wept in perpetual lamentation, their hair about their shoulders. The river reflected whatever it chose of sky and bridge and burning tree, and when the undergraduate had oared his boat through the reflections they closed again, completely, as if he had never been. There one might have sat the clock round lost in thought. Thought-- to call it by a prouder name than it deserved--had let its line down into the stream. It swayed, minute after minute, hither and thither among the reflections and the weeds, letting the water lift it and sink it, until--you know the little tug--the sudden conglomeration of an idea at the end of one's line: and then the cautious hauling of it in, and the careful laying of it out? Alas, laid on the grass how small, how insignificant this thought of mine looked; the sort of fish that a good fisherman puts back into the water so that it may grow fatter and be one day worth cooking and eating. I will not trouble you with that thought now, though if you look carefully you may find it for yourselves in the course of what I am going to say.

But however small it was, it had, nevertheless, the mysterious property of its kind--put back into the mind, it became at once very exciting, and important; and as it darted and sank, and flashed hither and thither, set up such a wash and tumult of ideas that it was impossible to sit still. It was thus that I found myself walking with extreme rapidity across a grass plot. Instantly a man's figure rose to intercept me. Nor did I at first understand that the gesticulations of a curious-looking object, in a cut-away coat and evening shirt, were aimed at me. His face expressed horror and indignation. Instinct rather than reason came to my help; he was a Beadle; I was a woman. This was the turf; there was the path. Only the Fellows and Scholars are allowed here; the gravel is the place for me. Such thoughts were the work of a moment. As I regained the path the arms of the Beadle sank, his face assumed its usual repose, and though turf is better walking than gravel, no very great harm was done. The only charge I could bring against the Fellows and Scholars of whatever the college might happen to be was that in protection of their turf, which has been rolled for 300 years in succession, they had sent my little fish into hiding.

What idea it had been that had sent me so audaciously trespassing I could not now remember. The spirit of peace descended like a cloud from heaven, for if the spirit of peace dwells anywhere, it is in the courts and quadrangles of Oxbridge on a fine October morning. Strolling through those colleges past those ancient halls the roughness of the present seemed smoothed away; the body seemed contained in a miraculous glass cabinet through which no sound could penetrate, and the mind, freed from any contact with facts (unless one trespassed on the turf again), was at liberty to settle down upon whatever meditation was in harmony with the moment. As chance would have it, some stray memory of some old essay about revisiting Oxbridge in the long vacation brought Charles Lamb to mind--Saint Charles, said Thackeray, putting a letter of Lamb's to his forehead. Indeed, among all the dead (I give you my thoughts as they came to me), Lamb is one of the most congenial; one to whom one would have liked to say, 'Tell me then how you wrote your essays?' For his essays are superior even to Max Beerbohm's, I thought, with all their perfection, because of that wild flash of imagination, that lightning crack of genius in the middle of them which leaves them flawed and imperfect, but starred with poetry. Lamb then came to Oxbridge perhaps a hundred years ago. Certainly he wrote an essay--the name escapes me--about the manuscript of one of Milton's poems which he saw here. It was Lycidas perhaps, and Lamb wrote how it shocked him to think it possible that any word in Lycidas could have been different from what it is. To think of Milton changing the words in that poem seemed to him a sort of sacrilege. This led me to remember what I could of Lycidas and to amuse myself with guessing which word it could have been that Milton had altered, and why. It then occurred to me that the very manuscript itself which Lamb had looked at was only a few hundred yards away, so that one could follow Lamb's footsteps across the quadrangle to that famous library where the treasure is kept. Moreover, I recollected, as I put this plan into execution, it is in this famous library that the manuscript of Thackeray's Esmond is also preserved. The critics often say that Esmond is Thackeray's most perfect novel. But the affectation of the style, with its imitation of the eighteenth century, hampers one, so far as I remember; unless indeed the eighteenth-century style was natural to Thackeray--a fact that one might prove by looking at the manuscript and seeing whether the alterations were for the benefit of the style or of the sense. But then one would have to decide what is style and what is meaning, a question which--but here I was actually at the door which leads into the library itself. I must have opened it, for instantly there issued, like a guardian angel barring the way with a flutter of black gown instead of white wings, a deprecating, silvery, kindly gentleman, who regretted in a low voice as he waved me back that ladies are only admitted to the library if accompanied by a Fellow of the College or furnished with a letter of introduction.

That a famous library has been cursed by a woman is a matter of complete indifference to a famous library. Venerable and calm, with all its treasures safe locked within its breast, it sleeps complacently and will, so far as I am concerned, so sleep for ever. Never will I wake those echoes, never will I ask for that hospitality again, I vowed as I descended the steps in anger. Still an hour remained before luncheon, and what was one to do? Stroll on the meadows? sit by the river? Certainly it was a lovely autumn morning; the leaves were fluttering red to the ground; there was no great hardship in doing either. But the sound of music reached my ear. Some service or celebration was going forward. The organ complained magnificently as I passed the chapel door. Even the sorrow of Christianity sounded in that serene air more like the recollection of sorrow than sorrow itself; even the groanings of the ancient organ seemed lapped in peace. I had no wish to enter had I the right, and this time the verger might have stopped me, demanding perhaps my baptismal certificate, or a letter of introduction from the Dean. But the outside of these magnificent buildings is often as beautiful as the inside. Moreover, it was amusing enough to watch the congregation assembling, coming in and going out again, busying themselves at the door of the Chapel like bees at the mouth of a hive. Many were in cap and gown; some had tufts of fur on their shoulders; others were wheeled in bath-chairs; others, though not past middle age, seemed creased and crushed into shapes so singular that one was reminded of those giant crabs and crayfish who heave with difficulty across the sand of an aquarium. As I leant against the wall the University indeed seemed a sanctuary in which are preserved rare types which would soon be obsolete if left to fight for existence on the pavement of the Strand. Old stories of old deans and old dons came back to mind, but before I had summoned up courage to whistle--it used to be said that at the sound of a whistle old Professor ---- instantly broke into a gallop--the venerable congregation had gone inside. The outside of the chapel remained. As you know, its high domes and pinnacles can be seen, like a sailing-ship always voyaging never arriving, lit up at night and visible for miles, far away across the hills. Once, presumably, this quadrangle with its smooth lawns, its massive buildings and the chapel itself was marsh too, where the grasses waved and the swine rootled. Teams of horses and oxen, I thought, must have hauled the stone in wagons from far counties, and then with infinite labour the grey blocks in whose shade I was now standing were poised in order one on top of another, and then the painters brought their glass for the windows, and the masons were busy for centuries up on that roof with putty and cement, spade and trowel. Every Saturday somebody must have poured gold and silver out of a leathern purse into their ancient fists, for they had their beer and skittles presumably of an evening. An unending stream of gold and silver, I thought, must have flowed into this court perpetually to keep the stones coming and the masons working; to level, to ditch, to dig and to drain. But it was then the age of faith, and money was poured liberally to set these stones on a deep foundation, and when the stones were raised, still more money was poured in from the coffers of kings and queens and great nobles to ensure that hymns should be sung here and scholars taught. Lands were granted; tithes were paid. And when the age of faith was over and the age of reason had come, still the same flow of gold and silver went on; fellowships were founded; lectureships endowed; only the gold and silver flowed now, not from the coffers of the king, but from the chests of merchants and manufacturers, from the purses of men who had made, say, a fortune from industry, and returned, in their wills, a bounteous share of it to endow more chairs, more lectureships, more fellowships in the university where they had learnt their craft. Hence the libraries and laboratories; the observatories; the splendid equipment of costly and delicate instruments which now stands on glass shelves, where centuries ago the grasses waved and the swine rootled. Certainly, as I strolled round the court, the foundation of gold and silver seemed deep enough;

the pavement laid solidly over the wild grasses. Men with trays on their heads went busily from staircase to staircase. Gaudy blossoms flowered in window-boxes. The strains of the gramophone blared out from the rooms within. It was impossible not to reflect--the reflection whatever it may have been was cut short. The clock struck. It was time to find one's way to luncheon.

It is a curious fact that novelists have a way of making us believe that luncheon parties are invariably memorable for something very witty that was said, or for something very wise that was done. But they seldom spare a word for what was eaten. It is part of the novelist's convention not to mention soup and salmon and ducklings, as if soup and salmon and ducklings were of no importance whatsoever, as if nobody ever smoked a cigar or drank a glass of wine. Here, however, I shall take the liberty to defy that convention and to tell you that the lunch on this occasion began with soles, sunk in a deep dish, over which the college cook had spread a counterpane of the whitest cream, save that it was branded here and there with brown spots like the spots on the flanks of a doe. After that came the partridges, but if this suggests a couple of bald, brown birds on a plate you are mistaken. The partridges, many and various, came with all their retinue of sauces and salads, the sharp and the sweet, each in its order; their potatoes, thin as coins but not so hard; their sprouts, foliated as rosebuds but more succulent. And no sooner had the roast and its retinue been done with than the silent serving-man, the Beadle himself perhaps in a milder manifestation, set before us, wreathed in napkins, a confection which rose all sugar from the waves. To call it pudding and so relate it to rice and tapioca would be an insult. Meanwhile the wineglasses had flushed yellow and flushed crimson; had been emptied; had been filled. And thus by degrees was lit, half-way down the spine, which is the seat of the soul, not that hard little electric light which we call brilliance, as it pops in and out upon our lips, but the more profound, subtle and subterranean glow which is the rich yellow flame of rational intercourse. No need to hurry. No need to sparkle. No need to be anybody but oneself. We are all going to heaven and Vandyck is of the company--in other words, how good life seemed, how sweet its rewards, how trivial this grudge or that grievance, how admirable friendship and the society of one's kind, as, lighting a good cigarette, one sunk among the cushions in the window-seat.

If by good luck there had been an ash-tray handy, if one had not knocked the ash out of the window in default, if things had been a little different from what they were, one would not have seen, presumably, a cat without a tail. The sight of that abrupt and truncated animal padding softly across the quadrangle changed by some fluke of the subconscious intelligence the emotional light for me. It was as if someone had let fall a shade. Perhaps the excellent hock was relinquishing its hold. Certainly, as I watched the Manx cat pause in the middle of the lawn as if it too questioned the universe, something seemed lacking, something seemed different. But what was lacking, what was different, I asked myself, listening to the talk? And to answer that question I had to think myself out of the room, back into the past, before the war indeed, and to set before my eyes the model of another luncheon party held in rooms not very far distant from these; but different. Everything was different. Meanwhile the talk went on among the guests, who were many and young, some of this sex, some of that; it went on swimmingly, it went on agreeably, freely, amusingly. And as it went on I set it against the background of that other talk, and as I matched the two together I had no doubt that one was the descendant, the legitimate heir of the other. Nothing was changed; nothing was different save only-- here I listened with all my ears not entirely to what was being said, but to the murmur or current behind it. Yes, that was it-

—the change was there. Before the war at a luncheon party like this people would have said precisely the same things but they would have sounded different, because in those days they were accompanied by a sort of humming noise, not articulate, but musical, exciting, which changed the value of the words themselves. Could one set that humming noise to words? Perhaps with the help of the poets one could. A book lay beside me and, opening it, I turned casually enough to Tennyson. And here I found Tennyson was singing:

There has fallen a splendid tear
From the passion-flower at the gate.
She is coming, my dove, my dear;
She is coming, my life, my fate;
The red rose cries, "She is near, she is near";
And the white rose weeps, "She is late";
The larkspur listens, "I hear, I hear";
And the lily whispers, "I wait."

Was that what men hummed at luncheon parties before the war? And the women?

My heart is like a singing bird
Whose nest is in a water'd shoot;

My heart is like an apple tree

Whose boughs are bent with thick-set fruit;

My heart is like a rainbow shell

That paddles in a halcyon sea;

My heart is gladder than all these

Because my love is come to me.


Was that what women hummed at luncheon parties before the war?


There was something so ludicrous in thinking of people humming such things even under their breath at luncheon parties before the war that I burst out laughing, and had to explain my laughter by pointing at the Manx cat, who did look a little absurd, poor beast, without a tail, in the middle of the lawn. Was he really born so, or had he lost his tail in an accident? The tailless cat, though some are said to exist in the Isle of Man, is rarer than one thinks. It is a queer animal, quaint rather than beautiful. It is strange what a difference a tail makes--you know the sort of things one says as a lunch party breaks up and people are finding their coats and hats.


This one, thanks to the hospitality of the host, had lasted far into the afternoon. The beautiful October day was fading and the leaves were falling from the trees in the avenue as I walked through it. Gate after gate seemed to close with gentle finality behind me. Innumerable beadles were fitting innumerable keys into well-oiled locks; the treasure-house was being made secure for another night. After the avenue one comes out upon a road--I forget its name--which leads you, if you take the right turning, along to Fernham. But there was plenty of time. Dinner was not till half-past seven. One could almost do without dinner after such a luncheon. It is strange how a scrap of poetry works in the mind and makes the legs move in time to it along the road. Those words--

There has fallen a splendid tear
From the passion-flower at the gate.
She is coming, my dove, my dear--

sang in my blood as I stepped quickly along towards Headingley. And then, switching off into the other measure, I sang, where the waters are churned up by the weir:

My heart is like a singing bird
Whose nest is in a water'd shoot;
My heart is like an apple tree...

What poets, I cried aloud, as one does in the dusk, what poets they were!

In a sort of jealousy, I suppose, for our own age, silly and absurd though these comparisons are, I went on to wonder if honestly one could name two living poets now as great as Tennyson and Christina Rossetti were then. Obviously it is impossible, I thought, looking into those foaming waters, to compare them. The very reason why that poetry excites one to such abandonment, such rapture, is that it celebrates some feeling that one used to have (at luncheon parties before the war perhaps), so that one responds easily, familiarly, without troubling to check the feeling, or to compare it with any that one has now. But the living poets express a feeling that is actually being made and torn out of us at the moment. One does not recognise it in the first place; often for some reason one fears it; one watches it with keenness and compares it jealously and suspiciously with the old feeling that one knew. Hence the difficulty of modern poetry; and it is because of this difficulty that one cannot remember more than two consecutive lines of any good modern poet. For this reason--that my memory failed me--the argument flagged for want of material. But why, I continued, moving on towards Headingley, have we stopped humming under our breath at luncheon parties? Why has Alfred ceased to sing

She is coming, my dove, my dear.

Why has Christina ceased to respond?

My heart is gladder than all these Because my love is come
to me?

Shall we lay the blame on the war? When the guns fired in
August 1914, did the faces of men and women show so
plain in each other's eyes that romance was killed? Certainly
it was a shock (to women in particular with their illusions
about education, and so on) to see the faces of our rulers
in the light of the shell-fire. So ugly they looked--German,
English, French--so stupid. But lay the blame where one will,
on whom one will, the illusion which inspired Tennyson and
Christina Rossetti to sing so passionately about the coming of
their loves is far rarer now than then. One has only to read, to
look, to listen, to remember. But why say "blame"? Why, if it
was an illusion, not praise the catastrophe, whatever it was,
that destroyed illusion and put truth in its place? For truth...
those dots mark the spot where, in search of truth, I missed
the turning up to Fernham. Yes indeed, which was truth

and which was illusion, I asked myself? What was the truth about these houses, for example, dim and festive now with their red windows in the dusk, but raw and red and squalid, with their sweets and their bootlaces, at nine o'clock in the morning? And the willows and the river and the gardens that run down to the river, vague now with the mist stealing over them, but gold and red in the sunlight--which was the truth, which was the illusion about them? I spare you the twists and turns of my cogitations, for no conclusion was found on the road to Headingley, and I ask you to suppose that I soon found out my mistake about the turning and retraced my steps to Fernham.

As I have said already that it was an October day, I dare not forfeit your respect and imperil the fair name of fiction by changing the season and describing lilacs hanging over garden walls, crocuses, tulips and other flowers of spring. Fiction must stick to facts, and the truer the facts the better the fiction--so we are told. Therefore it was still autumn and the leaves were still yellow and falling, if anything, a little faster than before, because it was now evening (seven twenty-three to be precise) and a breeze (from the south-west to be exact) had risen. But for all that there was something odd at work:

My heart is like a singing bird

Whose nest is in a water'd shoot;

My heart is like an apple tree

Whose boughs are bent with thick-set fruit--


perhaps the words of Christina Rossetti were partly responsible for the folly of the fancy--it was nothing of course but a fancy--that the lilac was shaking its flowers over the garden walls, and the brimstone butterflies were scudding hither and thither, and the dust of the pollen was in the air. A wind blew, from what quarter I know not, but it lifted the half-grown leaves so that there was a flash of silver grey in the air. It was the time between the lights when colours undergo their intensification and purples and golds burn in window-panes like the beat of an excitable heart; when for some reason the beauty of the world revealed and yet soon to perish (here I pushed into the garden, for, unwisely, the door was left open and no beadles seemed about), the beauty of the world which is so soon to perish, has two edges, one of laughter, one of anguish, cutting the heart asunder. The gardens of Fernham lay before me in the spring twilight, wild and open, and in the long grass, sprinkled and carelessly flung, were daffodils and bluebells, not orderly perhaps at the best of times, and now wind-blown and waving as they tugged at their roots. The windows of the building, curved like ships' windows among generous waves of red brick, changed from lemon to silver under the flight of the quick spring clouds. Somebody was in a hammock, somebody, but in this light they were phantoms only, half guessed, half seen, raced across the grass--would no one stop her?-- and then on the terrace, as if popping out to breathe the air, to glance at the garden, came a bent figure, formidable yet humble, with her great forehead and her shabby dress--could it be the famous scholar, could it be J---- H---- herself? All was dim, yet intense too, as if the scarf which the dusk had flung over the garden were torn asunder by star or sword--the flash of some terrible reality leaping, as its way is, out of the heart of the spring. For youth----

Here was my soup. Dinner was being served in the great dining-hall. Far from being spring it was in fact an evening in October. Everybody was assembled in the big dining-room. Dinner was ready. Here was the soup. It was a plain gravy soup. There was nothing to stir the fancy in that. One could have seen through the transparent liquid any pattern that there might have been on the plate itself. But there was no pattern. The plate was plain. Next came beef with its attendant greens and potatoes--a homely trinity, suggesting the rumps of cattle in a muddy market, and sprouts curled and yellowed at the edge, and bargaining and cheapening, and women with string bags on Monday morning. There was no reason to complain of human nature's daily food, seeing that the supply was sufficient and coal-miners doubtless were sitting down to less. Prunes and custard followed. And if anyone complains that prunes, even when mitigated by custard, are an uncharitable vegetable (fruit they are not), stringy as a miser's heart and exuding a fluid such as might run in misers' veins who have denied themselves wine and warmth for eighty years and yet not given to the poor, he should reflect that there are people whose charity embraces even the prune. Biscuits and cheese came next, and here the water-jug was liberally passed round, for it is the nature of biscuits to be dry, and these were biscuits to the core. That was all. The meal was over. Everybody scraped their chairs back; the swing-doors swung violently to and fro; soon the hall was emptied of every sign of food and made ready no doubt for breakfast next morning. Down corridors and up staircases the youth of England went banging and singing. And was it for a guest, a stranger (for I had no more right here in Fernham than in Trinity or Somerville or Girton or Newnham or Christchurch), to say, "The dinner was not good," or to say (we were now, Mary Seton and I, in her sitting-room), "Could

we not have dined up here alone?" for if I had said anything
of the kind I should have been prying and searching into the
secret economies of a house which to the stranger wears so
fine a front of gaiety and courage. No, one could say nothing
of the sort. Indeed, conversation for a moment flagged. The
human frame being what it is, heart, body and brain all mixed
together, and not contained in separate compartments as
they will be no doubt in another million years, a good dinner is
of great importance to good talk. One cannot think well, love
well, sleep well, if one has not dined well. The lamp in the
spine does not light on beef and prunes. We are all probably
going to heaven, and Vandyck is, we hope, to meet us round
the next corner--that is the dubious and qualifying state of
mind that beef and prunes at the end of the day's work breed
between them. Happily my friend, who taught science, had a
cupboard where there was a squat bottle and little glasses--
(but there should have been sole and partridge to begin with)-
-so that we were able to draw up to the fire and repair some
of the damages of the day's living. In a minute or so we were
slipping freely in and out among all those objects of curiosity
and interest which form in the mind in the absence of a
particular person, and are naturally to be discussed on coming
together again--how somebody has married, another has
not; one thinks this, another that; one has improved out of all

knowledge, the other most amazingly gone to the bad--with all those speculations upon human nature and the character of the amazing world we live in which spring naturally from such beginnings. While these things were being said, however, I became shamefacedly aware of a current setting in of its own accord and carrying everything forward to an end of its own. One might be talking of Spain or Portugal, of book or racehorse, but the real interest of whatever was said was none of those things, but a scene of masons on a high roof some five centuries ago. Kings and nobles brought treasure in huge sacks and poured it under the earth. This scene was for ever coming alive in my mind and placing itself by another of lean cows and a muddy market and withered greens and the stringy hearts of old men--these two pictures, disjointed and disconnected and nonsensical as they were, were for ever coming together and combating each other and had me entirely at their mercy. The best course, unless the whole talk was to be distorted, was to expose what was in my mind to the air, when with good luck it would fade and crumble like the head of the dead king when they opened the coffin at Windsor. Briefly, then, I told Miss Seton about the masons who had been all those years on the roof of the chapel, and about the kings and queens and nobles bearing sacks of gold and silver on their shoulders, which they shovelled into the earth; and then how the great financial magnates of our own time came and laid cheques and bonds, I suppose, where the others had laid ingots and rough lumps of gold. All that lies beneath the colleges down there, I said; but this college, where we are now sitting, what lies beneath its gallant red brick and the wild unkempt grasses of the garden? What force is behind that plain china off which we dined, and (here it popped out of my mouth before I could stop it) the beef, the custard and the prunes?

Well, said Mary Seton, about the year 1860--Oh, but you know the story, she said, bored, I suppose, by the recital. And she told me--rooms were hired. Committees met. Envelopes were addressed. Circulars were drawn up. Meetings were held; letters were read out; so-and-so has promised so much; on the contrary, Mr. ---- won't give a penny. The Saturday Review has been very rude. How can we raise a fund to pay for offices? Shall we hold a bazaar? Can't we find a pretty girl to sit in the front row? Let us look up what John Stuart Mill said on the subject. Can anyone persuade the editor of the ---- to print a letter? Can we get Lady ---- to sign it? Lady ---- is out of town. That was the way it was done, presumably, sixty years ago, and it was a prodigious effort, and a great deal of time was spent on it. And it was only after a long struggle and with the utmost difficulty that they got thirty thousand pounds together.[1] So obviously we cannot have wine and partridges and servants carrying tin dishes on their heads, she said. We cannot have sofas and separate rooms. "The amenities," she said, quoting from some book or other, "will have to wait."[2]

At the thought of all those women working year after year and finding it hard to get two thousand pounds together, and as much as they could do to get thirty thousand pounds, we burst out in scorn at the reprehensible poverty of our sex. What had our mothers been doing then that they had no wealth to leave us? Powdering their noses? Looking in at shop windows? Flaunting in the sun at Monte Carlo? There were some photographs on the mantelpiece. Mary's mother--if that was her picture--may have been a wastrel in her spare time (she had thirteen children by a minister of the church), but if so her gay and dissipated life had left too few traces of its pleasures on her face. She was a homely body; an old lady in a plaid shawl which was fastened by a large cameo; and she sat in a basket-chair, encouraging a spaniel to look at the camera, with the amused, yet strained expression of one who is sure that the dog will move directly the bulb is pressed. Now if she had gone into business;

had become a manufacturer of artificial silk or a magnate on the Stock Exchange; if she had left two or three hundred thousand pounds to Fernham, we could have been sitting at our ease to-night and the subject of our talk might have been archaeology, botany, anthropology, physics, the nature of the atom, mathematics, astronomy, relativity, geography. If only Mrs. Seton and her mother and her mother before her had learnt the great art of making money and had left their money, like their fathers and their grandfathers before them, to found fellowships and lectureships and prizes and scholarships appropriated to the use of their own sex, we might have dined very tolerably up here alone off a bird and a bottle of wine; we might have looked forward without undue confidence to a pleasant and honourable lifetime spent in the shelter of one of the liberally endowed professions. We might have been exploring or writing; mooning about the venerable places of the earth; sitting contemplative on the steps of the Parthenon, or going at ten to an office and coming home comfortably at half-past four to write a little poetry. Only, if Mrs. Seton and her like had gone into business at the age of fifteen, there would have been--that was the snag in the argument--no Mary. What, I asked, did Mary think of that? There between the curtains was the October night, calm and lovely, with a star or two caught in the yellowing trees. Was she ready to resign her share of it and her memories (for they had been a happy family, though a large one) of games and quarrels up in Scotland, which she is never tired of praising for the fineness of its air and the quality of its cakes, in order that Fernham might have been endowed with fifty thousand pounds or so by a stroke of the pen? For, to endow a college would necessitate the suppression of families altogether. Making a fortune and bearing thirteen children--no human being could stand it. Consider the facts, we said. First there are nine months before the baby is born. Then the baby is born. Then there are three or four months spent in feeding the baby. After the baby is fed there are certainly five years spent in playing with the baby. You cannot, it seems, let children run about the streets. People who have seen them running wild in Russia say that the sight is not a pleasant one. People say, too, that human nature takes its shape in the years between one and five. If Mrs. Seton, I said, had been making money, what sort of memories would you have had of games and quarrels? What would you have known of Scotland, and its fine air and cakes and all the rest of it? But it is useless to ask these questions, because you would never have come into existence at all. Moreover, it is equally useless to ask what might have happened if Mrs. Seton and her mother and her mother before her had amassed great wealth and laid it under the foundations of college and library, because, in the first place, to earn money was impossible for them, and in the second, had it been possible, the law denied them the right to possess what money they earned. It is only for the last forty-eight years that Mrs. Seton has had a penny of her own. For all the centuries before that it would have been her husband's property--a thought which, perhaps, may have had its share in keeping Mrs. Seton and her mothers off the Stock Exchange. Every penny I earn, they may have said, will be taken from me and disposed of according to my husband's wisdom--perhaps to found a scholarship or to endow a fellowship in Balliol or Kings, so that to earn money, even if I could earn money, is not a matter that interests me very greatly. I had better leave it to my husband.

At any rate, whether or not the blame rested on the old lady who was looking at the spaniel, there could be no doubt that for some reason or other our mothers had 10 mismanaged their affairs very gravely. Not a penny could be spared for "amenities"; for partridges and wine, beadles and turf, books and cigars, libraries and leisure. To raise bare walls out of the bare earth was the utmost they could do.

So we talked standing at the window and looking, as so

many thousands look every night, down on the domes and towers of the famous city beneath us. It was very beautiful, very mysterious in the autumn moonlight. The old stone looked very white and venerable. One thought of all the books that were assembled down there; of the pictures of old prelates and worthies hanging in the panelled rooms; of the painted windows that would be throwing strange globes and crescents on the pavement; of the tablets and memorials and inscriptions; of the fountains and the grass; of the quiet rooms looking across the quiet quadrangles. And (pardon me the thought) I thought, too, of the admirable smoke and drink and the deep arm-chairs and the pleasant carpets: of the urbanity, the geniality, the dignity which are the offspring of luxury and privacy and space. Certainly our mothers had not provided us with any thing comparable to all this-- our mothers who found it difficult to scrape together thirty thousand pounds, our mothers who bore thirteen children to ministers of religion at St. Andrews.

So I went back to my inn, and as I walked through the dark streets I pondered this and that, as one does at the end of the day's work. I pondered why it was that Mrs. Seton had no money to leave us; and what effect poverty has on the mind; and what effect wealth has on the mind; and I thought of the queer old gentlemen I had seen that morning with tufts of fur upon their shoulders; and I remembered how if one whistled one of them ran; and I thought of the organ booming in the chapel and of the shut doors of the library; and I thought how unpleasant it is to be locked out; and I thought how it is worse perhaps to be locked in; and, thinking of the safety and prosperity of the one sex and of the poverty and insecurity of the other and of the effect of tradition and of the lack of tradition upon the mind of a writer, I thought at last that it was time to roll up the crumpled skin of the day, with its arguments and its impressions and its anger and its laughter, and cast it into the hedge. A thousand stars were flashing across the blue wastes of the sky. One seemed alone with an inscrutable society. All human beings were laid asleep--prone, horizontal, dumb. Nobody seemed stirring in the streets of Oxbridge. Even the door of the hotel sprang open at the touch of an invisible hand--not a boots was sitting up to light me to bed, it was so late.

[1] "We are told that we ought to ask for £30,000 at least.... It is not a large sum, considering that there is to be but one college of this sort for Great Britain, Ireland and the Colonies, and considering how easy it is to raise immense sums for boys' schools. But considering how few people really wish women to be educated, it is a good deal."
--Lady Stephen, Emily Davies and Girton College.

[2] Every penny which could be scraped together was set aside for building, and the amenities had to be postponed.
--R. Strachey, The Cause.

# 자기만의 방

## 1장

하지만, 당신은 말할지도 모른다. 우리가 당신에게 요청했던 것은 여성과 창작에 대한 것이었는데, 그것이 자기만의 방과 무슨 관련이 있냐고? 설명해 보겠다. 당신이 나에게 여성과 창작에 대해 말해달라고 부탁했을 때, 나는 강둑에 앉아 그 단어들이 의미하는 것이 무엇일까 생각하기 시작했다. 그렇다면 단순히 패니 버니에 대해 몇 마디 할 수도 있거나, 제인 오스틴에 대해서는 조금 더 많이 얘기할 수도 있겠고, 브론테 자매에 대해서는 경의를 표할 수도 있으며, 눈 내린 하워스 목사관을 묘사하거나, 가능하다면 미스 미트포드에 대한 몇 가지 재치 있는 이야기들이나, 존경해 마지않는 조지 엘리엇을 언급하거나, 미시즈 개스켈에 대해 말할 수도 있었을 것이다. 하지만 다시 생각해 보니, 여성과 창작이라는 것이 그렇게 단순한 것이 아니라는 생각이 들었다. 여성과 창작이라는 제목은 어쩌면, 당신이 바라는 대로, 여성과 그녀들이 어떤 존재인지를 의미할 수도 있고, 혹은 여성과 여성이 쓴 창작물을 의미할 수도 있으며, 여성과 여성에 대한 창작물을 의미할 수도 있을 것이다, 아니면 이 모든 것이 불가분 하게 섞여 있는 것일 수도 있으며, 내가 그런 관점에서 고려해 주길 원할 수도 있다. 하지만 가장 흥미롭게 보이는 마지막 방식으로 주제를 고려하기 시작했을 때, 나는 그것에 치명적인 결

점이 있음을 곧 알게 되었다. 그런 방식으로는 결코 결론에 도달할 수 없을 것이라는 점이다. 내가 알고 있는 강연자의 첫 번째 의무는 한 시간의 강연 후에는 한 줌의 순수한 진리를 공책에 요약해 벽난로 위에 올려놓고 계속 마음에 새기게 하는 것인데, 그렇게는 절대 못할 것 같다. 단지 나는 한 가지 사소한 문제에 대해서 한 가지 의견을 제시할 수 있을 뿐인데, 그것은 여성이 창작물을 쓰려면 돈과 자신의 방이 필요하다는 것이다. 그런데 이런 식으로는, 여러분들도 알겠지만, 여성의 본성과 창작물의 본질이라는 큰 문제를 해결하지 못한다. 나는 아직도 여성과 창작이라는 이 두 가지 문제에 대해 결론을 내리지 못하고 있다. 적어도 나에게는 해결되지 않은 문제이다. 이 문제를 조금이라도 해결해 보고자, 내가 어떻게 방과 돈에 대해 이런 의견을 갖게 되었는지를 당신에게 보여주려 한다. 나는 여러분 앞에서 이런 의견에 도달하게 한 사고 과정을 전부 다 자유롭게 말하려 한다. 아마도 내가 이런 의견 뒤에 숨어 있는 생각들과 편견들을 드러내면, 여러분은 이런 생각들과 편견들이 여성과 창작에 어떤 관련이 있는지 발견하게 될 것이다. 어쨌든, 주제가 매우 논쟁적인 경우 – 성에 관한 질문은 언제나 그렇겠지만 – 진실을 말하는 것을 기대할 수 없다. 단지 어떻게 그런 의견을 가지게 되었는지 보여줄 수 있을 뿐이다. 말하는 사람의 한계, 편견, 기이함을 관찰하면서 자신만의 결론을 내릴 수 있도록 청중들에게 기회를 제공할 수 있을 뿐이다. 이런 면에서 창작물이 사실보다 더 많은 진실을 담고 있을 가능성이 크다. 그래서 나는 소설가에게 허용된 모든 자유와 권리를 사용하여 당신에게 내가 여기 오기 전 이틀 동안의 이야기를 들려주려고 한다 – 어떻게 당신이 내 어깨에 지워준 주제의 무게에 짓눌려 그것을 고민하고 그것이 어떻게 나의 일상 속에서 그리고 일상과 상관없이 행해졌는지 말이다. 내가 설명하려고 하는 것이 실제로는 존재하지 않는다는 말을 할 필요는 없을 것이다. 옥스브리지도 가상의 장소이며, 펀햄 또한 그렇다. "나"는 실존하지 않는 누군가를 일컫는 편리한 용어일 뿐이다. 거짓말이 내 입에서 흘러나올 것이지만, 그러나 그 안에는 몇 가지 진실도 섞여 있을 것이다. 이 진실을 찾아내어 조금이라도 가치가 있는지 없는지를 결정하는 것은 당신 몫이다. 가치가 없다면, 그것들 모두를 휴지통에 던져 버리고 잊어도 좋을 것이다.

그때 나는 깊은 생각에 잠겨 (나를 메리 베톤, 메리 세튼, 메리 카마이클 또는 원하는 어떤 이름으로 불러도 된다 – 그건 중요하지 않다) 1, 2주 전 화창한 10월의 어느 날에, 강둑에 앉아 있었다. 내가 말해왔던 여성과 창작이라는 주제가 뻣뻣한 옷 깃처럼 느껴지고, 온갖 편견과 열정을 불러일으키는 이 주제에 대해 어떤 결론이든 도달해야 한다는 생각에 마음이 무거워 난 머리를 들지 못하고 있었다. 오른쪽과 왼쪽에는 몇몇 종류의 수풀들이 불처럼 황금색과 진홍색으로 빛나고 있었고, 불의 열기로 타는 듯했다. 더 멀리 있는 강둑에서는 버드나무들이 어깨에 머리를 늘어뜨리고 끝없이 슬퍼하고 있는 듯했다. 강물은 하늘이든, 다리든, 타오르는 나무든 모든 것들을 비추고 있었고, 한 학생이 보트의 노를 저어 강에 비친 모습들을 지나가면, 아무도 지나가지 않았던 것처럼, 다시 완전하게 그 모든 것들을 비추었다. 거기에서는 누구든 생각에 잠겨 하루 종일 앉아 있을 수도 있었을 것이다. 사색이 – 실제보다 더 뻐기듯이 이름을 붙이자면 – 강물에 낚싯줄을 내리고 있었다. 사색의 흐름은 물에 비친 모습들과 집조 사이에서 순간마다 이리저리 흔들리며, 물걸에 따라 올라갔다 내려갔다 하며 – 당신도 그 미세하게 잡아당기는 듯한 느낌을 알 테지만 - 갑자기 그 낚싯줄 끝에 생각의 덩어리가 걸려들어, 조심스럽게 그 생각을 끌어들여서는, 조심스럽게 올려볼까 해서 풀밭에 내려놓았는데, 이런, 나의 이런 사색이 얼마나 초라하고, 얼마나 보잘것 없어 보였는지. 선량한 어부라면 요리해서 먹을 만큼 살이 찔 수 있도록 다시 돌려보냈을 물고기 정도의 사색이었다. 지금 당장은 방금 했던 생각으로 당신을 괴롭게 하지는 않겠다. 그러나 나의 이야기가 진행되는 동안, 조심스럽게 찾아본다면 당신은 그것이 뭔지 스스로 알게 될 수도 있을 것이다.

하지만, 그럼에도 불구하고, 나의 생각이 아주 사소하기 했지만, 나름 신비한 면이 있어서 - 다시 생각해 보니, 흥미롭기도 하고 중요하기도 했다. 그 생각은 위로 올라왔다가 가라앉기도 하고, 여기저기에서 번뜩 이고, 커다란 흐름과 소용돌이를 만들어서는 조용히 앉아 있을 수도 없었다. 그래서 어느덧 나는 매우 빠르게 풀밭을 가로질러 걷고 있었다. 그러자 바로 한 남자의 형상이 보이더니 일어서서는 나를 가로막았다. 처음에는, 이브닝 셔츠와 짧은 코트를 입은 이상하게 보이는 물체의 몸 짓들이 나를 향한 것임을 이해하지 못했다. 그의 얼굴은 공포와 분노를 나타내고 있었다. 당황한 내게 도움이 되었던 것은 이성보다는 본능이 었다. 관리인은 남자이고, 나는 여자이다. 여기는 잔디밭이고, 저기는 길이다. 여기는 연구교수와 학자들만이 허락된 곳이고, 나는 자갈길로 가야 한다. 이런 생각들은 순식간에 일어났다. 내가 자갈길로 돌아가자 관리인은 팔을 내렸고, 그의 얼굴은 평상시의 평온을 되찾았다. 비록 잔 디가 자갈보다 걷기에는 더 좋지만, 내가 큰 해를 입은 것도 아니었다. 그 대학이 뭐든 간에, 그 대학의 연구교수와 학자들을 혹시라도 탓하고 싶었던 점이 있었다면, 그것은 300년 동안 계속 펼쳐져 있었던 잔디를 보호하려다 내 작은 물고기를 놓치게 만들었다는 사실이다

어떤 생각으로 그렇게 대담하게 잔디밭을 가로질렀는지 이제는 기억할 수 없다. 평화의 기운이 하늘에서 구름처럼 내려왔다, 왜냐하면 평화의 기운이 어딘가에 있는 거라면, 어느 화창한 10월 아침의 옥스브리지 대학의 안뜰에 있었을 테니까. 고색창연한 홀들을 지나 이런 대학들을 통과하다 보니 거친 현실이 사라지는 것 같았다. 몸은 어떤 소리도 뚫고 들어올 수 없는 기적의 유리 장식장 안에 있는 것 같았고, 마음은, 현실과 그 어떤 접점 없이, (다시 잔디밭에 들어가지만 않는다면) 순간에 떠오르는 생각이 무엇이든 상관없이 편안해졌다. 우연처럼, 긴 휴가 동안 옥스브리지를 다시 찾았던 오래된 에세이에 대한 희미한 몇 가지 기억으로 찰스 램이 생각이 났는데 – 태커레이는, 램의 편지를 이마에 대고, 성 찰스라고 말하기도 했던 것이 기억난다. 사실, 모든 죽은 사람들 중에서 (지금 생각나는 대로 말하자면), 램은 가장 마음이 가는 사람들 중 한 명인데, 그 당시에는 에세이를 어떻게 썼는지 물어보고 싶은 사람이다. 내 생각으로는 그의 에세이는 완결성 있는 막스 비어봄의 에세이보다 더 훌륭하다, 왜냐하면 그의 거침없이 깜빡이는 상상력과 천재성에 번개가 치듯이 균열이 생겨 자신의 에세이 곳곳에 흠집을 만들고 불완전하게 하고 있지만 그의 시가 빛나기 때문이다. 램은 약 100년 전에 전 옥스브리지에 왔었다. 분명 그는 여기서 봤던 밀턴 시 한 편의 원고에 대한 에세이를 썼다 – 이름은 기억나지 않는다. 아마도 그 원고는 리시다스였을 것이고, 램은 리시다스의 그 어떤 단어는 어쩌면 당대와는 다를 수도 있을 거라는 것을 알고는 엄청난 충격을 받았다고 썼다.

밀턴이 그 시의 단어들을 계속 바꿨을 거라는 생각은 그에게 일종의 신성 모독처럼 느껴졌다. 이런 상념으로, 나는 리시다스에 대한 기억을 더듬으며, 밀턴이 어떤 단어를 바꾸었을지 그리고 왜 바꾸었을지 추측하면서 흥미로워졌다. 그러다가 램이 봤던 바로 그 원고가 불과 몇백 야드 떨어진 곳에 있다는 사실이 떠올라, 램의 발자취를 따라 중정을 가로질러 그 보물이 있는 저 유명한 도서관까지 갈 수 있을 거라 생각했다. 더 나아가, 이런 생각을 행동으로 옮기면서, 나는 태커레이의 에스몬드 원고도 이 유명한 도서관에 보관되어 있다는 것을 기억해 냈다. 비평가들은 종종 에스몬드가 태커레이의 가장 완벽한 소설이라고 평가하기도 한다. 그러나 18세기 문체를 따라 하는 듯한 그의 과장된 스타일이 부담스러웠던 것이 생각난다. 18세기 문체가 정말 태커레이에게 자연스러운 것이었는지는 – 그의 원고를 살펴보고 수정된 부분이 문체를 위한 것인지, 의미를 위한 것인지를 보면 입증할 수 있는 사실이다. 그렇다면 문체가 무엇이고, 의미가 무엇인지를 결정해야 하는 것이 문제겠지만 – 그러나 나는 실제로 (그런 추상적인 결정 없이) 그 도서관 자체로 들어가는 문 앞에 섰다. 내가 문을 열자, 바로 뭔가 힐책하는 듯하면서도 친절한 은발의 신사가, 하얀 날개가 아니라 검은 가운을 휘날리며 길을 막는 수호천사처럼, 나타나서는 내게 돌아가라는 손짓을 하며 유감스럽지만 여자들은 연구교수와 동행하거나 소개장을 지참했을 때만 도서관 출입이 가능하다고 낮은 목소리로 말했다.

한 여자가 퍼붓는 저주가 그 유명한 두서관에게는 전혀 중요한 문제는 아니었으리라. 이 신망 있고 평온한 도서관은 모든 애장품들을 가슴에 안전하게 품은 채 , 적어도 나에게는, 흡족하게 잠든 듯했고, 앞으로도 그렇게 영원히 잠에서 깨지 않을 듯했다. 나는 계단을 내려가면서 분노에 차서 맹세했다, 거기 가서 다시는 소리치지도 않고 잘 봐달라고 부탁하지도 않겠다고. 여전히 점심까지 한 시간이 남았는데, 무엇을 해야 할까? 초원 위를 산책할까? 강가에 앉아 있을까? 분명 아름다운 가을 아침이었고, 나뭇잎들은 붉게 물들어 땅에 떨어지고 있었기에, 어느 것을 하든 별 어려울 것이 없었다. 하지만 음악 소리가 들렸다. 어떤 예배나 축하 행사가 벌어지고 있었다. 내가 예배당 문을 지나갈 때 오르간이 장엄하게 웅얼거리고 있었다. 기독교의 슬픔조차도 그 고요한 공기 속에서 슬픔의 기억처럼 들렸고, 낡은 오르간의 웅얼거리는 소리조차 평화에 잠겨 있는 듯했다. 그런데 내가 권리가 있었더라도 들어가고 싶은 생각은 없었다, 이번에는 교회지기가 나를 가로막고는 세례 증명서나 학장으로부터의 소개장을 요구할지도 몰랐다. 하지만 이런 멋진 건물들의 외관은 내부만큼이나 아름다운 경우가 많다. 더욱이, 마치 벌통 입구의 벌들처럼 사람들이 예배당 문에서 모이고, 들어갔다 나왔다 하는 것을 지켜보는 것은 꽤 재미있었다. 많은 이들이 모자에 가운을 걸치고 있었고, 어떤 이들은 어깨에 털을 두르고 있었으며, 휠체어를 탄 사람들도 있었다, 또 어떤 이들은 아직 중년을 넘지 않았는데도, 기형적으로 주름지고 쪼그라든 모습이어서, 마치 수족관의 모래 위를 힘겹게 건너는 거대한 게나 가재를 떠올리게 했다. 벽에 기대어 서서 바라보니, 이 대학은 런던 스트랜드 거리에서 살아남으라고 내버려 둔다면 멸종될 희귀한 유형들을 보존하는 성역인 듯했다. 나이 든 학장과 교수들에 대한 옛이야기가 떠올라, 용기를 내서 휘파람을 한 번 불어 볼까 했지만 ― 휘파람 소리가 나면 노 교수가 바로 뛰쳐나온다는 이야기가 선해신나 ― 그 넉망 있는 교인들은 이미 모두 안으로 들어갔다. 예배당의 외관은 그대로

였다. 아시다시피, 그 높은 돔과 첨탑들은 언제나 항해하는 배처럼 밤에도 불을 밝혀 멀리 언덕 너머에서도 보인다. 한때, 아마도 매끄러운 잔디밭이 있는 이 중정과, 거대한 건물들, 그리고 예배당 자체도 잡초들이 물결치고 돼지가 뿌리를 파헤치던 습지였을 것이다. 말과 소가 먼 나라에서 마차에 돌을 싣고 이곳까지 끌고 왔을 것이고, 그러고 나서 엄청난 노동으로 지금 내게 그늘을 드리고 있는 회색 블록들을 한 층씩 쌓았으며, 그 후에 화가들이 창문들에 맞춰 유리를 가져오고, 석공들이 수 세기 동안 그 지붕 위에서 삽과 흙손으로 회반죽을 바르며 바빴을 것이라고 생각한다. 매주 토요일, 누군가는 가죽 주머니에서 금화와 은화를 그 옛날 사람들의 손에 쏟아부어줬을 것이다. 저녁에는 그들도 맥주를 마시며 유흥을 즐겼을 테니까. 나는 끊임없는 금과 은의 흐름이 이 안뜰로 계속 흘러들어와 돌을 가져오게 하고 석공들을 일하게 했을 것이라고 생각했다. 땅을 고르고, 도랑을 파고, 바닥을 파고 배수를 해야만 했을 테니까. 그러나 그때는 종교의 시대였고, 이 돌들을 튼튼한 기초 위에 세우기 위해 돈을 아낌없이 쏟아부었고, 돌을 쌓아 올린 때에도, 여전히 더 많은 돈이 왕과 왕비와 귀족들의 금고에서 흘러들어와 사람들이 찬송가를 부르게 하고 학자들을 육성해야 했을 것이다. 사람들은 토지를 기증하기도 하고, 십일조를 내기도 했다. 그리고 종교의 시대가 끝나고 이성의 시대가 도래했을 때도 여전히 같은 금과 은은 계속 흘러 들어왔다. 장학 재단이 설립되고, 교수 기금이 기부되었다. 이제 금과 은은 왕의 금고가 아니라 상인들과 제조업자들의 금궤에서, 예를 들어 산업 활동으로 큰 재산을 모은 사람들의 지갑에서 흘러들어왔는데, 그들은 유언을 통해서, 재산의 많은 부분을 자신들이 기술을 배웠던 대학에 더 많은 의자, 더 많은 강좌, 더 많은 장학 기금을 위한 자금을 지원했다. 그래서, 수 세기 전에는 잡초가 무성하고 돼지가 뿌리를 파던 곳에 도서관과 실험실, 관측소, 지금은 유리 선반 위에 고가의 정밀 기기들이 있게 된 것이다. 중정을 돌아다녀보니, 확실히 금과 은이 마련한 기초가 잘 자리 잡은 듯했다. 또한 잡초 위로는 튼튼하게 벽돌로 길이 나 있었고, 쟁반을 머리에 이고 계단에서 계단으로 바쁘게 오가는 사람들이 있었으며, 창문 화단에는 화려하게 꽃들이 피어 있었고, 방 안의 축음기에서는 음악 소리가 크게 울려 퍼졌다. 뭔가를 떠올릴 수밖에 없었다 – 그러나 그것이 무엇이든 금방 사라졌다. 시계가 울렸다. 점심을 먹으러 갈 시간이었다.

신기하게도, 소설가들은 오찬 모임은 언제나 뭔가 아주 재치 있는 말이나 아주 현명한 행동으로 기억된다고 우리를 믿게 하는 재주가 있다. 그러나 그들은 먹은 것에 대해서는 한마디도 하지 않는 경우가 많다. 소설가들이 따르는 관습 중에 수프와 연어와 오리 고기는 언급하지 않는 것도 있을까? 그들은 마치 수프와 연어와 오리 고기가 전혀 중요하지 않은 것처럼, 아무도 시가를 피우거나 와인을 마시지 않았던 것처럼 이에 대해서는 한 마디도 하지 않는다. 그러나 여기에서 나는 내 멋대로 그 관례를 깨고 이번 오찬은 가자미로 시작되었다고 알린다. 대학 요리사가 깊은 접시에 담아 침대보 같은 아주 하얀 크림으로 덮은 가자미였는데, 사슴의 옆구리처럼 갈색 반점들이 언뜻언뜻 보였다. 그 후에 꿩 요리가 나왔다, 하지만 머리에 털이 없는 갈색 새 두어 마리가 접시에 담겨 있었을 거라고 생각한다면 당신이 틀렸다. 푸짐하게 나온 꿩 요리와 쓰거나 달콤한 소스와 샐러드와 함께 나왔는데, 각각 순서대로 나왔다. 감자는 동진처럼 얇지만 띡띡하지 않았고, 새싹은 장미 꽃잎 같았시만 수분이 더 많았다. 구이 요리와 함께 나온 음식을 먹고 나자 바로 조용히 시중을 들던 관리인이, 한층 더 온화한 모습으로, 파도 위에 온통 설탕을 뿌린 듯한 냅킨으로 감싼 과자를 내놓았다. 그것을 푸딩이라고 부르거나 쌀이나 타피오카를 연관 지어 생각한다면 그건 모욕이 될 것이다. 그동안 와인 잔은 노랗고 붉게 물들었고, 비워지면 다시 채워졌다. 그렇게 점차 영혼이 머무는 곳이라 볼 수 있는 척추 중간쯤 아래쪽에 불이 켜졌다. 우리가 우리의 입으로 가볍게 받아들이고 내뱉는, 총명이라고 부르는 그 단단하고 작은 전구 같은 불빛이 아닌, 훨씬 심오하고, 미묘하며, 심연에서 올라오는 듯한 이성적인 대화의 풍성하고 노란 불꽃 같은 불이었다. 서두를 필요가 없었다. 재치 있을 필요도 없었다. 다른 사람이 될 필요도 없었다. 우리 모두는 반다이크와 함께 천국으로 가고 있었다. - 다시 말하면, 산다는 것이 얼마나 좋은지, 그 보상이 얼마나 달콤한지, 이 불만이나 저 불평이 얼마나 사소한지, 우정과 사람들과의 교제가 얼마나 감탄스러운 것인지를 느끼면서, 좋은 담배에 불을 붙이고, 창가 의자의 쿠션 속에 몸을 맡기고 있었다.

우연히 재떨이가 손에 닿을 수 있었다면, 그래서 창밖으로 재를 털지 않았더라면, 그 당시 상황이 조금 달랐다면, 꼬리 없는 고양이를 보지 않았을 것이다. 느닷없이 꼬리 잘린 고양이가 중정 너머로 천천히 걸어가는 광경은 잠재의식 속의 우연한 지각으로 나의 감정의 불빛을 달라지게 했다 그것은 마치 누군가가 그림자를 드리운 것 같았다. 그 훌륭한 와인의 술기운이 사라지는 것 같았다. 잔디밭 중간에 맹크스 고양이마저도 우주를 의심하는 듯 멈춰있는 모습을 바라보자, 분명히, 뭔가 부족하게 느껴졌으며 뭔가 달라 보였다. 사람들이 말하는 것을 들으면서, 부족한 것이 뭘까, 다른 것은 뭘까를 혼자 생각했다. 그 질문에 답하기 위해 나는 그 방에서 나와서, 과거로, 전쟁 이전으로 생각을 돌려, 이곳에서 멀지 않은 곳에서 열렸던 또 다른 오찬 모임의 경우를 그려봐야만 했다. 그러나 달랐다. 모든 것이 달랐다. 그동안 사람들 사이의 대화는 계속 이어지고 있었다. 많은 사람들이 있었고 젊은 사람들이 있었는데, 여성도 있었고, 남성도 있었으며, 대화는 물 흐르는 처럼 기분 좋고 자유롭게 즐겁게 이어졌다. 대화가 이어질수록, 나는 이 대화의 배경을 과거의 대화가 있었던 모임으로 삼아 보았다. 두 대화를 비교해 보면서 나는 이 대화는 이전 대화의 후손이며 상속자라는 것에 의심의 여지를 가질 수가 없었다. 아무것도 변하지 않았다. 달라진 것은 없었다. 달라진 것이 있다면 이곳에서 나는 단지 단순하게 사람들이 말하는 것만 들었던 것이 아니라, 그 말 뒤에 흐르는 속삭임이나 흐름을 들었다는 것이다. 그렇다, 그것이다 – 변화는 거기에 있었다. 전쟁 이전의 이런 오찬 모임에서 사람들은 정확히 같은 말을 했을 것이다. 하지만 다르게 들렸을 것이다. 왜냐하면 그 당시에는 또박또박 말하지 않았고 약간 흥얼거리는 소리도 함께 섞여 있어, 음악같기도 하여 흥미로왔는데, 이런 것들이 말 자체의 가치에 변화를 주었다. 그 흥얼거리는 소리를 말로 표현할 수 있을까? 아마 시인이 도움을 준다면 가능할 수도 있을 것이다... 내 옆에 책이 놓여 있어서, 책을 펴서, 넘기다 보니 무심코 테니슨을 보게 되었다. 테니슨은 이렇게 노래하고 있었다.

찬란한 눈물이 떨어졌다네
문가에 핀 시계꽃에서.
그녀가 다가오네, 나의 비둘기, 나의 사랑이여.
그녀가 다가오네, 나의 생명, 나의 운명이여.
붉은 장미가 외치네, '그녀가 왔어요, 그녀가 왔어요'.

그러자 흰 장미가 흐느끼네, '늦었어요'.

제비꽃이 귀를 기울이네, '소리가 들려, 들리고 있어'.

백합이 속삭이네, '난 기다리고 있어'.

이것이 전쟁 전 점심 파티에서 남자들이 흥얼거렸던 걸까? 그럼 여자들은?

내 마음은 노래하는 새와 같네

그 새의 둥지는 물오른 나뭇가지라네.

내 마음은 사과나무 같다네

그 가지들 커다란 과실들로 휘어져 있지.

내 마음은 무지갯빛 조개와 같네

평온한 바닷속에서 노를 젓고 있지.

내 마음은 이 모든 것보다 기쁘네

내 사랑이 나에게 왔으니.

전쟁 전 점심 파티에서 여인들이 이런 것을 흥얼거렸을까? 전쟁 전의 점심 파티에서 사람들이 목소리를 낮춰서 그런 것을 흥얼거렸다고 생각하니 너무 웃겨서, 나는 웃음을 터뜨리고는, 꼬리 없는 맹크스 고양이를 가리키며 웃는 이유를 둘러대야 했다. 하긴 꼬리도 없는 가엾은 고양이가 잔디밭 한가운데 떡하니 있는 것은 조금 우스꽝스러워 보이기는 했다. 그 고양이는 정말 태어날 때부터 그랬을까, 아니면 사고로 꼬리를 잃었을까? 꼬리 없는 고양이는, 맨 섬에 몇 마리 정도가 있다고 알려져 있지만, 생각보다 드물다. 아름답기보다는 특이하고 기이한 놈들이었다. 꼬리 하나에 이렇게 달라지다니 참 이상하다고, 점심 파티가 끝낸 사람들이 코트와 모자를 찾으면서 혀를 끌끌 찼다.

이번 파티는 주인의 환대 덕분에 오후 늦게까지 이어졌다. 아름다운 10월의 하루가 저물어 가고 있었고, 나뭇잎들이 가로수에서 떨어지고 있었고, 나는 그 길을 걸어갔다. 문들이 내 뒤에서 하나하나 부드럽게 종말을 말하는 듯 닫히고 있었다. 수많은 교구 담당자들이 기름을 잘 바른 자물쇠들에 수많은 열쇠를 꽂고 있었다. 또 하룻밤 동안 그 보물들을 소장한 건물은 안전하게 지켜질 참이었다. 그 길을 지나면, 지금 그 이름은 잊었지만, 오른쪽 길을 택하면 펀햄으로 이어지는 도로가 나온다. 시간은 충분했다. 저녁 식사는 7시 반이 되어야 할 것이다. 그렇게 대단한 점심 식사를 하면 거의 저녁 식사를 하지 않아도 된다. 이상하게도, 시의 한 구절이 마음속에 떠올라 그 길을 따라 발걸음을 내딛게 했다. 그 시구들은 −

찬란한 눈물이 떨어졌다네
문가에 핀 시계꽃에서.
그녀가 다가오네, 나의 비둘기, 나의 사랑이여.

헤딩리로 발걸음을 재촉하고 있을 때 내 핏속에서 노래하는 듯하더니, 그러다가 강물이 보 근처 마구 휘도는 지점에서 나는 다른 리듬의 시로 바꿔서 노래했다.

내 마음은 노래하는 새와 같네
그 새의 둥지는 물오른 나뭇가지라네.

내 마음은 사과나무 같다네

이런 시인들은, 어둠 속에서 사람들이 하는 것처럼 나는 크게 소리를 질렀다, 도대체 이렇게 대단한 시인들은 뭐지!

일종의 질투심으로, 나는, 이런 비교가 어리석고 우스꽝스럽기는 하지만, 솔직히 당시의 테니슨과 크리스티나 로세티만큼 위대하다고 할 수 있는 현대 시인 두 명의 이름을 댈 수 있을까를 계속 생각했다. 물거품 이는 강물을 바라보며. 분명히 비교가 불가능하다고 생각했다. 그들의 시가 사람들을 그토록 자기 자신을 잊은 채 황홀경에 빠지게 할 수 있었던 이유는, 그 시들이 (아마 전쟁 전 점심 파티였을 것이다) 사람들이 당시에 가졌던 감정들을 찬양하였기 때문이었다. 따라서 사람들은 그 시들이 주는 느낌들을 확인하거나, 자신들이 그 당시 가졌던 느낌과 시들의 느낌들을 비교하지 않고 쉽고 친숙하게 감응했던 것이다. 하지만 현대의 시인들은 우리에게서 바로 지금 만들어지고 찢겨 나오는 느낌을 표현한다. 처음에는 사람들은 인식하지 못하거나, 종종 이러저러한 이유로 그 느낌을 두려워하기도 한다. 또 사람들은 그 느낌을 예민하게 관찰하면서 질투에 차서 의심하며 자신의 과거의 감정과 비교한다. 그래서 현대 시가 어려운 것이다. 그리고 이런 어려움 때문에 아무리 훌륭하다 할지라도 현대 시의 두 줄 이상을 기억할 수 없는 것이다. 이런 이유로 - 기억나는 시가 없기 때문에 - 이런 비교 논쟁은 자료가 부족해서 시들해졌다. 하지만 왜, 헤딩리로 가는 동안 계속 생각했다, 우리는 점심 파티에서 소리 죽여 흥얼거리는 것을 멈췄을까? 왜 알프레드는 더 이상 노래하지 않았을까?

그녀가 다가오네, 나의 비둘기, 나의 사랑이여.

왜 크리스티나는 더 이상 반응하지 않았을까?

내 마음은 이 모든 것보다 기쁘네
내 사랑이 나에게 왔으니.

전쟁 탓일까? 1914년 8월, 전쟁이 발발했을 때, 남녀의 민낯이 서로의 눈에 너무 분명하게 드러나서 로맨스가 죽었을까? 분명히, 포탄 불빛에 드러난 우리 지도자들의 민낯을 보는 것은 충격이었다 (특히 교육에 대하여 환상을 품고 있었던 여성들에게는) 지도자들은 너무나 추해 보였으며 – 독일, 영국, 프랑스 할 것 없이 – 너무나 어리석게 보였다. 하지만 무엇을 비난하든, 누구를 비난하든, 테니슨과 크리스티나 로세티가 사랑의 도래에 대해 그렇게 열정적으로 노래할 수 있도록 영감을 준 환상은 지금은 그때보다는 훨씬 보기가 힘들다. 요즘은 그냥 읽고, 보고, 기억만 하면 된다. 그런데 왜 '비난한다'라고들 할까? 왜, 그것이 환상이었다면, 그 환상을 파괴하고 그 자리에 진실을 배치한 재앙을 칭송하지 않을까? 진실은... 그렇게 진실에 골몰해 있다가, 나는 편햄으로 가는 길을 놓쳤다. 그렇다면, 진짜, 진실은 무엇이고 환상은 무엇이었을까? 나는 스스로에게 물었다. 예를 들어, 어스름 속에서 붉게 보이는 창문들로 지금은 흐릿하고 축제 분위기지만, 아침 9시에는 과자 부스러기들과 구두끈들로 여전히 붉고 엉망인 채로 너저분한 이 집들에 대한 진실은 무엇일까? 그리고 지금은 아무도 모르게 안개가 끼어 흐릿하지만, 햇빛을 받으면 황금빛과 붉은색으로 빛나던 저 버드나무들과 강, 강가에 이어지는 정원들 - 이들의 진실은 무엇이고, 환상은 무엇일까? 이렇게 복잡다단한 생각은 그만하겠다. 왜냐하면 헤딩리로 가는 길에서 나는 그어떤 결론도 내지 못했으며, 독자 여러분들은 내가 곧 길을 잘못 들었다는 실수를 깨닫고 펀햄으로 다시 되돌아가고 있다고 생각해 주길 바란다.

이미 10월이라고 말했으니, 계절을 바꾸거나 정원 담벼락에 늘어져 있는 라일락, 크로커스, 튤립, 기타 다른 봄꽃들을 묘사하며 여러분들의 신뢰를 잃거나 지금 이 이야기가 픽션이라고 할지라도 말도 안 되는 이야기는 하지 않겠다. 픽션은 사실에 충실해야 하며, 사실이 진실할수록 픽션도 더 나아진다고 - 우리는 들어왔다. 아직 가을이었고, 나뭇잎들은 여전히 노랗게 떨어지고 있었으며, 오히려, 전보다 조금 더 빨리 떨어지고 있었다. 왜냐하면 그때는 저녁이었고 (정확히는 7시 23분) 바람이 (정확히는 남서쪽에서) 불기 시작했기 때문이다. 하지만 그럼에도 불구하고 뭔가 이상한 일이 일어나고 있었다.

내 마음은 노래하는 새와 같네
그 새의 둥지는 물오른 나뭇가지라네.
 내 마음은 사과나무 같다네
그 가지들 커다란 과실들로 휘어져 있지.

아마도 크리스티나 로세티의 말들이 이 어리석은 상상에 부분적으로 책임이 있었을 것이다 - 물론 이건 단지 상상일 뿐이었지만 - 라일락 꽃이 정원 벽을 넘어 흔들리고 있었고, 유황 나비들이 여기저기 날아다니고, 꽃가루가 공기 중에 있었다. 바람이 불었다, 어느 방향에서 불었는지는 모르겠지만, 그것은 반쯤 자란 잎을 들어 올려 공기 중에 은회색으로 번쩍이게 했다. 색깔들이 강렬해지고 흥분된 심장의 박동처럼 보라색과 황금빛이 창문에 타오르는 빛과 빛 사이의 시간이었다, 왜인지 모르겠지만 세계의 아름다움이 드러나고 곧 사라질 것 같았다 (나는 정원으로 들어갔다, 왜냐하면 아무렇게나 문이 열려 있었고 관리인이 보이지 않았기 때문이었다), 세계의 아름다움은 곧 사라질 것이며, 웃음과 고통의 두 가지 날을 지닌 그 아름다움은 마음을 찢는 듯했다. 펀햄의 정원이 봄날의 황혼 속에 자연 그대로 내 앞에 펼쳐졌다, 높이 자란 풀 속에는 수선화와 초롱꽃들이 물기를 머금고 무심하게 흩어져 있었는데, 활짝 폈을 때도 정돈되지 않았을 듯했지만, 지금은 바람에 날리고 흔들리며 뿌리를 당기고 있는 듯했다. 넘실대는 파도 같은 빨간 벽돌들 속에서 건물의 창문들은 배의 창문처럼 곡선으로 휘어져 빠르게 흘러가는 봄날의 구름 아래 레몬빛에서 은빛으로 변하고 있었다. 해먹에 누군가 있었다, 그리고 또 누군가는. 하지만 이런 빛 속에서 그들은 본 것 같기도 하고 그렇지 않은 것 같기도 한 환영이었겠지만, 풀밭을 가로질러 달려가더니 - 아무도 그녀를 막을 수 없었을 것이다 - 마치 잠깐 바람이나 쐬고, 정원을 바라보기 위해 테라스에 어딘가 대단해 보이지만 소박한, 이마가 넓고 허름한 옷을 입는 한 구부정한 사람이 나타났다 - 그 유명한 학자, 정말로 J.... H.... 그녀였을까? 모든 것이 흐릿하지만, 강렬했다, 마치 황혼이 정원에 드리운 스카프가 별이나 칼에 갈기갈기 찢겨진 것처럼 - 어떤 끔찍한 현실의 상처가, 늘 그렇듯, 봄의 한가운데서 튀어나왔다. 왜냐하면 젊음은...

내 앞에 수프가 놓였다. 큰 식당에서 정찬이 제공되고 있었다. 그때는 봄이 아니라 사실 10월의 저녁이었다. 모든 사람들이 큰 식당에 모였다. 식사가 준비되었는데, 수프는 평범한 그레이비 수프였다. 그 수프에는 상상력을 자극할 만한 것이 없었다. 그 수프는 아주 투명해서 접시에 무늬가 있다면 어떤 무늬든 볼 수 있을 정도였다. 하지만 무늬는 없었다. 접시는 평범했다. 다음은 소고기 요리에 채소와 감자가 곁들여져 나왔다 ─ 집에서 흔히 같이 먹는 세 가지인 이들은 진흙 투성이인 시장에서 볼 수 있는 소 엉덩이, 가장자리가 노랗게 말린 새싹, 그리고 월요일 아침에 망태기를 든 여성들을 떠올리게 했다. 일상적으로 사람들이 먹는 음식에 불평할 이유는 없었다, 음식 양은 충분했다. 석탄을 캐는 광부들이 주선하고 모인 자리라면 분명 그렇게 많이 차리지는 못했을 것이다. 자두와 커스터드가 뒤따랐다. 커스터드와 함께 먹으면 그나마 낫다는 자두는 구두쇠의 심장처럼 섬유질이 많아 씹기가 어렵고 80년 동안 자신에게나 가난한 사람들에게 와인이나 따뜻함을 베풀지 않고 살아온 구두쇠의 혈관에 흐를 법하게 즙이 겨우 나오는 야박한 야채다라고 (자두는 과일이 아니라며) 불평하는 사람들은, 자두조차도 너그럽게 받아들이는 사람들이 있다는 사실을 상기해야 한다. 그다음에 비스킷과 치즈가 나왔는데, 물병이 계속 전달되었다. 왜냐하면 비스킷이 원래 바삭거리는 거라지만, 이 비스킷은 속까지 말라비틀어진 것이었기 때문이다. 그게 다였다. 식사는 끝났다. 사람들이 모두 의자를 뒤로 밀며 일어났다. 스윙 도어가 앞뒤로 심하게 여닫혔다. 그러고 나자 곧 홀에는 모든 음식의 흔적이 말끔히 사라지고, 다음날 아침 식사를 위한 준비를 모두 끝냈다. 영국의 젊은이들이 노래를 부르며 쿵쾅쿵쾅 복도를 내려가거나 계단을 올라갔다. 손님이나 이방인이라면 (내 권리는 트리니티나

서머빌, 걸튼, 뉴넘, 크라이스트처치에서 처럼 여기 펀햄에서도 없었기에) '식사가 별로였습니다' 혹은 (메리 시턴과 나는 그녀의 거실에 앉아 있었는데) '여기서 우리만 식사할 수 없을까요?'라고 할 수 있었을 것이다, 내가 그와 비슷한 말이라도 혹시 했었다면, 이방인에게는 그토록 활기차고 당당하게 보이는 이 저택의 경제적인 사정을 몰래 엿보거나 그 비밀을 파헤친 셈이 되리라. 아니, 아무도 그런 말을 할 수 없을 것이다. 그래서 대화가 잠시 시들해졌다. 인간의 몸이라는 것은 원래, 심장, 몸통, 두뇌는 모두 함께 섞여 있다, 또한 앞으로 백만 년 후에도 분명히 그럴 테지만, 각각의 영역에 따로 존재하지는 않을 것이다, 그래서 훌륭한 식사는 훌륭한 대화에 아주 중요한 것이다. 잘 먹지 않고서는 생각을 잘할 수도, 사랑을 잘할 수도, 잘을 잘 잘 수도 없다. 척추에 등불이 있다면 소고기와 자두정도를 먹고는 그 불이 밝혀지지는 않을 것이다. 우리 모두가 천국에 가서, 바로 반다이크를 보는 것이 우리 모두의 소원이다라고 말하는 것처럼, 하루의 일을 마친 후 소고기와 자두를 먹게 되면 이건 뭐지라는 마음과 뭔가 부족하다는 생각을 하게 된다. 다행히도 과학을 가르쳤던 내 친구의 찬장에는 작은 병과 조그마한 잔들이 있어서 (서대와 꿩요리로 시작했으면 좋았겠지만) 벽난로 앞에서 잔을 기울이며 하루를 살아내느라 받은 상처를 치료할 수 있었다. 잠시 후 우리는 호기심과 관심이 동해서 어떤 특정한 사람이 없을 때 얘기하다가 그 사람이 다시 합류하게 되었을 때에도 자연스럽게 논의될 수 있는 온갖 주제들을 넘나들었다. 예를 들면, 어떻게 누구는 결혼을 하게 되었고, 누구는 결혼을 못하게 됐는지, 이 사람은 이렇게 생각하는데, 저 사람은 저렇게 생각한다든지, 누구는 모든 지식을 뛰어넘어 더 성장했는데, 누구는 정말 놀라울 정도로 형편없어졌는지와 같은 것들 말이다. 그렇게 우리는 본래 인간의 본성과 우리가 살고 있는 이 놀라운 세상의 본래 성격에 대해 멋대로 어림짐작하였다. 이런 말들이 오가는 동안, 나는 부끄럽지만 어떤 흐름이 있어 저절로 만들어지고 또 저절로 모든 것들을 한계까지 이끌고 간다는 것을 그때 깨닫게 되었다. 스페인이나 포르투갈, 책이나 경주마에 대해 이야기하는 것처럼 보이지만, 어떤 말을 하던 나의 진짜 관심은 그런 것에 있었던 것이 아니라, 약 5세기 전 높은 지붕 위에서 일하는 석공들의 모습에 있었다. 왕과 귀족들이 큰 자루에 보물을 가지고 와 땅속에 쏟아붇는 장면이 마음속에 아주 생생하게 떠 올랐으며, 비쩍 마른 소, 진흙 투성이인 시장과 시든 채소, 노인들의 여윈 가슴과 같은 또 다른 장면과 함께 내 마음속에 자리 잡게 되었다. 이런 두 장면들은, 앞 뒤가 맞지 않지도 않고, 서로 연결되지도 않으며, 터무니 없긴 했지만, 줄곧 같이 생각나면서 서로 싸우며 나를 완전히 휘둘렀다. 대화 전체를 왜곡하지 않는 최선의 방책은 내 마음속에 품었던 것을 밖으로 드러내는 것이었다. 그러다가 운이 좋으면 내가 했던 말이 윈저궁에서 사람들이 관을 열었을 때 죽은 왕의 머리처럼 부서져 사라지는 것일 것이다. 그래서 나는 세턴 양에게 간략하게 그 오랜 세월 동안 예배당 지붕에서 일했던 석공들과 금과 은이 든 자루를 어깨에 메고 와서 삽으로 땅에 묻었던 왕과 왕비, 귀족들에 대한 이야기를 해주었다. 그러고 나서 어떻게 우리 시대의 대부호들이 이곳을 찾아와 수표나 채권을 바치고 다른 사람들은 금괴나 금덩어리들을 바치게 되었는지에 대해 말해주었다. 그런 모든 것들이 저 대학 건물들 아래에 놓여 있다고 말해 주었다 하지만 우리가 지금 앉아 있는 이 대학 건물의 장중한 빨간 벽돌과 정원의 황량하고도 무성한 잔디 아래에는 무엇이 놓여 있을까? 우리가 식사했던 그 평범한 도자기, 그리고 (두서없이 튀어나온 말이긴 하지만) 소고기, 커스터드, 자두 뒤에는 어떤 힘이 있었을까?

음, 메리 세톤이 말했다, 1860년경의 일인데-아, 하지만 그 이야기는 알잖아요, 그녀는 지루해하며 말했다, 아마도 그 이야기가 따분해서였을 것이다. 그녀가 말했다-방을 빌리고 위원회가 소집되고. 봉투에 주소를 적고 회람문을 작성했었죠. 모임이 열렸고, 편지들을 소리 내어 읽었으며, 누구누구는 얼마를 약속했는데, 반대로, Mr -는 한 푼도 주지 않으려고 했죠. 세터데이 리뷰는 아주 무례했습니다. 사무실 운영 기금을 어떻게 모을 수 있을까요? 바자회를 열어야 할까요? 앞줄에 앉을 귀여운 소녀, 어디 없을까요? 존 스튜어트 밀이 이 주제에 대해 뭐라고 했는지 찾아보죠. -모 신문 편집장을 설득해서 편지를 실을 수 있게 할 수 있는 사람 어디 없나요? -그 부인이 그 편지에 서명하게 할 수 있을까요? - 그 부인이 현재 안 계신다고 하는군요. 이런 방식이 60년 전의 방식이었던 것 같다. 엄청난 노력이 들었고 많은 시간이 소요되었다. 상당히 시간이 지난 후에야 그들은 어렵게 어렵게 30,000 파운드를 겨우 모았다.[1] 그래서 우리는 너무도 당연히 포도주와 꿩요리, 머리 위로 양철 접시를 나르는 하인들을 누릴 수 없다고 그녀는 말했다. 소파도 별도의 방을 가질 수 없으며, '편의 시설은', 그녀는 어떤 책에서 나온 구절을 인용하며 말했다, '기다려야 한다'고.[2]

그 당시 많은 여성들이 매년 그렇게 노력을 했음에도 2,000 파운드를 모으기가 어려웠고, 그래서 겨우 30,000 파운드를 모을 수 있었다는 것을 생각하면서, 우리는 여성의 비참한 가난에 혀를 끌끌 찼다. 그럼 우리들의 어머니들은 그 당시 무엇을 하고 있었길래 우리에게 아무 재산도 남기지 못했을까? 코에 분칠이나 하고 있었을까? 가게 창문 안이나 들여다보고 있었을까? 몬테 카를로의 햇살을 받으며 끼나 부리고 있었을까? 벽난로 위에는 사진 몇 장이 놓여 있었다. 메리의 어머니는 – 사진 속의 인물이 메리의 어머니였다면 – 여가 시간을 게으르게 보냈을 수도 있긴 하지만, (그녀는 교회의 목사와 13명의 자녀를 낳았다), 그렇다 해도 그녀의 얼굴에서는 화려하고 방탕한 삶을 살았던 사람의 즐거움의 흔적을 찾아볼 수 없었다. 사진 속의 그녀는 가정적인 사람이었다. 커다란 브로치로 고정한 격자무늬 숄을 두르고, 버들가지로 엮어 만든 의자에 앉아 집에서 키우는 개가 카메라를 보게 하려고 했지만, 카메라 플래시가 터질 때 개가 움직일 것이라고 확신하는 사람의 즐겁지만 긴장된 표정을 짓고 있었다. 그런데 만약 그녀가 사업을 벌였다면, 인조 실크 제조업자가 되거나 증권 거래소의 거물이 되었더라면, 펀햄 대학에 20만 파운드나 30만 파운드를 남겼더라면, 우리는 오늘 밤 편안히 앉아 고고학, 식물학, 인류학, 물리학, 원자의 본질, 수학, 천문학, 상대성 이론, 지리학을 주제로 이야기를 나눌 수 있었을 것이다. 만약 세톤 부인과 그녀의 어머니, 그들의 어머니의 어머니들이 돈 벌기라는 기술을 배워서, 그들의 아버지와 그들의 아버지의 아버지들처럼, 연구 기금, 강의 기금, 상금, 장학금을 조성해서 자신들과 같은 성(性)을 갖은 사람들이 전용할 수 있도록 했다면, 우리는 우리끼리 꿩요리에 와인을 곁들이며 꽤 멋들어지게 식사를 할 수 있었을 것이고, 돈 걱정 없는 전문직이라는 보호막 속에서 꼭 그럴 거라는 확신은 하지 않겠지만 즐겁고 명예로운 평생을 보낼 수 있기를 기대할 수 있었을 것이다. 그랬더라면 우리는 탐험하거나 글을 쓸 수도 있었을 것이고, 지구의 유서 깊은 장소들을 귀신처럼 어슬렁 거리며, 파르테논 계단에 앉아 사색하거나, 아침 10시에 사무실에 갔다가 편안히 4시 반에 집에 와서는 짧은 시 한 편을 쓰고 있었을 수도 있다. 하지만, 세톤 부인과 그녀 같은 사람들이 15살에 사업을 시작했다면, - 이게 예상하지 못했던 복병이었기는 하지만 - 메리는 존재하지 않았을 것이다. 그 점에 대해 메리에게 어떻게 생각하느냐고, 내가 물었다. 커튼 사이로 10월의 밤은 고요하고 아름다웠고, 노랗게 단풍이 들어가는 나무들 사이로 별이 하나둘 걸려 있었다. 펜대한 번을 굴려서 편함에 50,000파운드 정도를 기부하려고, 그녀는 이렇게 아름다운 밤을 누리는 것을 포기할 수 있었을까? 또 그녀가 지치지도 않고 칭송하던 스코틀랜드의 청명한 공기, 그곳의 그 고급스러운 케이크와 게임도 하고 논쟁도 벌였던 기억들을 (그녀의 가족은 대가족이었지만 행복한 가족이었기에) 포기할 수 있었을까? 한 대학에 기부하려면 가족 전체가 허리띠를 졸라매야 했을 테니까. 재산을 모으면서 13명의 아이를 낳는 것- 그것은 그 어떤 인간도 견뎌 낼 수 없는 것이다. 있는 그대로 생각해 보자. 먼저 아기가 태어나려면 9개월이 지나야 한다. 그다음 아기가 태어난다. 다음 아기에게 젖을 물리는 기간이 3-4개월이다. 젖을 떼면, 5년간 아기와 놀아줘야 한다. 아이들이 길거리에서 뛰어다니도록 할 수는 없을 테니까. 러시아에서 아이들이 길거리에서 뛰어다니는 것을 본 사람들은 그 광경이 그리 좋아 보이지는 않았다고 말한다. 흔히들, 인간의 본성이 1살에서 5살 사이에 형성된다고 말하기도 한다. 세톤 부인이 돈을 벌고 있었다면, 당신은 게임과 논쟁에 대해 어떤 기억을 갖게 되었을까? 또 당신이 스코틀랜드에 대해서 무엇을 알게 되었으며, 그곳의 상쾌한 공기, 그곳의 케이크, 그 외 스코틀랜드에 대해서 당신이 알게 된 것이 무엇일까? 하지만 이런 질문을 하는 것은 쓸모없나, 왜냐하면 당신은 존재하시도 않았을 테니까. 게다가, 세톤 부인과 그녀의 어머니, 그 어머니의 어머니가 큰 부를 축적해 대학과 도서관의 기초를 세웠다면 어떻게 되었을지 묻는 것도 쓸모없다, 왜냐하면 첫째로 그들이 돈을 버는 것은 불가능했고, 둘째로 가능했다 해도 법률적으로 자신들이 번 돈을 소유할 권리가 없었기 때문이다. 세톤 부인이 자신의 돈을 1 페니라도 소유할 수 있었던 기간은 고작 지난 48년 동안이었다. 그전에는 언제나 세톤 부인의 돈은 그녀의 남편의 소유였을 것이다 – 아마도 이것이 세톤 부인과 그녀의 어머니들이 증권 거래소를 피하게 한 이유 중 하나일 수도 있다. 내가 돈을 번다고 해도 그 돈은 내것이 아니고 내 남편의 생각한 대로 쓰여서, 장학금을 설립하거나 베일리얼이나 킹스 칼리지의 연구 기금으로 기증되겠지. 그래서 돈을 버는 것은, 내가 돈을 벌 수 있다 하더라도, 나에게는 그렇게 흥미로운 일이 아니야라고 그들이 말했을지도 모른다. 차라리 남편에게 맡기는 것이 낫겠어.

어쨌든, 그 스패니얼을 바라보고 있는 노부인이 비난을 받을 만하든 아니든, 우리의 어머니들이 어떤 이유로든 자신들의 일들을 아주 잘못 처리해 왔다는 것은 의심의 여지가 없다. 편의시설을 위해서는 한 푼도 비축할 수 없었다. 꿩요리와 포도주, 대학의 직원과 잔디, 책과 시가, 도서관과 여가를 위해서 말이다. 텅 빈 땅에 기본적인 벽을 세우는 것이 그들이 할 수 있는 최선의 일이었다.

그래서 우리는 창가에 서서, 수많은 사람들이 매일 밤 그러하듯이, 창아래 펼쳐져 있는 그 유명한 도시의 돔과 탑들을 내려다보며 이야기를 나누었다. 가을 달빛 속에서 그 풍경은 아주 아름답고 신비로웠고, 오래된 돌은 아주 하얗고 숭고해 보였다. 누구나 저기 아래 모아둔 모든 책들, 패널로 덧댄 방에 걸려 있는 옛 주교와 저명인사들의 그림, 보도 위에 기이한 공 모양과 초승달 무늬를 드리우고 있는 색 유리창들, 명판과 기념물과 비문들, 분수와 잔디, 고요한 사각형 안뜰을 내려다보는 고요한 방들을 생각했을 것이다. 그리고 (이런 생각을 용서해 주길 바란다) 나 또한 좋은 담배와 음료와 푹신한 안락의자와 쾌적한 카펫을, 그리고 사치스러움과 프라이버시, 공간이 제공하는 도회 생활, 온화함, 품위를 생각했다. 분명히 우리의 어머니들은 우리에게 이 모든 것에 비견될 만한 것을 제공하지 않았다 - 우리의 어머니들은 30,000 파운드를 모으기도 어려웠으며, 세인트 앤드루스의 목사에게서 13명의 자녀를 낳아야만 했다.

그래서 나는 숙소로 돌아갔고, 어두운 거리를 걸으며 이것저것을 생각했다, 하루의 일을 끝낸 후 사람들이 하는 것처럼. 나는 왜 세톤 부인은 우리에게 남길 돈이 없었을까, 가난이 정신에 미치는 영향과 부가 정신에 미치는 영향이 무엇일까를 곰곰이 생각했다. 그리고 그날 아침 어깨에 모피 술을 둘렀던 그 이상한 노인들을 생각했다. 그리고 누군가가 휘파람을 불면 그들 중 한 명이 달려갔던 것을 기억했다. 또한 예배당에서 울려 퍼지는 오르간 소리와 도서관의 닫힌 문을 생각했다. 그리고 그 안으로 들어갈 수 없는 것이 얼마나 불쾌한 것인지를 생각했다. 그리고 어쩌면 안에 갇혀 나갈 수 없는 것이 더 나쁠지도 모른다고 생각했다. 한쪽 성(性)의 안전과 번영과 다른 성(性)의 가난과 불안정, 전통과 전통의 부재가 작가의 정신에 미치는 영향을 생각하며, 나는 마침내 논쟁과, 감명과, 분노와, 웃음으로 일그러져 버린 그날을 눌눌 말아서 울타리 안쪽으로 던져버릴 시간이라고 생각했다. 수많은 별들이 푸른 황무지 같은 하늘에서 반짝이고 있었다. 한 사람만이 외롭게 이해할 수 없는 사회와 대치하고 있는 것 같았다. 모든 사람들은 잠들어 누워 있었다 – 엎드려서, 수평으로, 말없이. 옥스브리지 거리에서는 꿈틀대는 사람은 아무도 없는 것 같았다. 호텔의 문조차 열어주는 이가 없었다 – 구두닦이도 침대로 향하는 나에게 불을 밝혀주려고 기다리지 않았다, 너무 늦은 시간이었다.

[1] 적어도 30,000 파운드가 필요하다는 소리를 들었다... 영국, 아일랜드, 영국 식민지 전체에서 이런 대학이 단 하나라는 사실과 남학교를 위해 막대한 기금을 모으는 것이 얼마나 쉬운지를 고려하면 그리 큰 금액은 아니었다. 하지만 여성이 교육받기를 진정으로 원하는 사람이 얼마나 적었는지를 생각하면, 30,000 파운드는 상당히 많은 금액이었다.
– 레이디 스티븐, 에밀리 데이비스와 거튼 컬리지

[2]한 푼이라도 긁어모아서 건물을 짓기 위해 따로 떼어 두다 보니, 편의 시설들은 연기될 수밖에 없다.
–R. 스트래치, 대의

# A ROOM OF ONE'S OWN
# 자기만의 방

## CHAPTER 1
## 1장

But, you may say, we asked you to speak about women and fiction - what, has that got to do with a room of one's own?

하지만, 당신은 말할지도 모른다. 우리가 당신에게 요청했던 것은 여성과 창작에 대한 것이었는데, 그것이 자기만의 방과 무슨 관련이 있냐고?

I will try to explain.

설명해 보겠다.

When you asked me to speak about women and fiction I sat down on the banks of a river and began to wonder what the words meant.

당신이 나에게 여성과 창작에 대해 말해달라고 부탁했을 때, 나는 강둑에 앉아 그 단어들이 의미하는 것이 무엇일까 생각하기 시작했다.

They might mean simply a few remarks about Fanny Burney;

a few more about Jane Austen; a tribute to the Brontes and a sketch of Haworth Parsonage under snow; some witticisms if possible about Miss Mitford; a respectful allusion to George Eliot; a reference to Mrs Gaskell and one would have done.

그렇다면 단순히 패니 버니에 대해 몇 마디 할 수도 있거나, 제인 오스틴에 대해서는 조금 더 많이 얘기할 수도 있겠고, 브론테 자매에 대해서는 경의를 표할 수도 있으며, 눈 내린 하워스 목사관을 묘사하거나, 가능하다면 미스 미트포드에 대한 몇 가지 재치 있는 이야기들이나, 존경해 마지않는 조지 엘리엇을 언급하거나, 미시즈 개스켈에 대해 말할 수도 있었을 것이다.

But at second sight the words seemed not so simple.

하지만 다시 생각해 보니, 여성과 창작이라는 것이 그렇게 단순한 것이 아니라는 생각이 들었다.

The title women and fiction might mean, and you may have meant it to mean, women and what they are like, or it might mean women and the fiction that they write; or it might mean women and the fiction that is written about them, or it might mean that somehow all three are inextricably mixed together and you want me to consider them in that light.

여성과 창작이라는 제목은 어쩌면, 당신이 바라는 대로, 여성과 그녀들이 어떤 존재인지를 의미할 수도 있고, 혹은 여성과 여성이 쓴 창작물을 의미할 수도 있으며, 여성과 여성에 대한 창작물을 의미할 수도 있을 것이다, 아니면 이 모든 것이 불가분 하게 섞여 있는 것일 수도 있으며, 내가 그런 관점에서 고려해 주길 원할 수도 있다.

But when I began to consider the subject in this last way, which seemed the most interesting, I soon saw that it had one fatal drawback.
하지만 가장 흥미롭게 보이는 마지막 방식으로 주제를 고려하기 시작했을 때, 나는 그것에 치명적인 결점이 있음을 곧 알게 되었다.

I should never be able to come to a conclusion.
그런 방식으로는 결코 결론에 도달할 수 없을 것이라는 점이다.

I should never be able to fulfil what is, I understand, the first duty of a lecturer to hand you after an hour's discourse a nugget of pure truth to wrap up between the pages of your notebooks and keep on the mantelpiece for ever.
내가 알고 있는 강연자의 첫 번째 의무는 한 시간의 강연 후에는 한 줌의 순수한 진리를 공책에 요약해 벽난로 위에 올려놓고 계속 마음에 새기게 하는 것인데, 그렇게는 절대 못할 것 같다.

All I could do was to offer you an opinion upon one minor point—a woman must have money and a room of her own if she is to write fiction; and that, as you will see, leaves the great problem of the true nature of woman and the true nature of fiction unsolved.

단지 나는 한 가지 사소한 문제에 대해서 한 가지 의견을 제시할 수 있을 뿐인데, 그것은 여성이 창작물을 쓰려면 돈과 자신의 방이 필요하다는 것이다. 그런데 이런 식으로는, 여러분들도 알겠지만, 여성의 본성과 창작물의 본질이라는 큰 문제를 해결하지 못한다.

I have shirked the duty of coming to a conclusion upon these two questions-women and fiction remain, so far as I am concerned, unsolved problems.

나는 아직도 여성과 창작이라는 이 두 가지 문제에 대해 결론을 내리지 못하고 있다. 적어도 나에게는 해결되지 않은 문제이다.

But in order to make some amends I am going to do what I can to show you how I arrived at this opinion about the room and the money.

이 문제를 조금이라도 해결해 보고자, 내가 어떻게 방과 돈에 대해 이런 의견을 갖게 되었는지를 당신에게 보여주려 한다.

I am going to develop in your presence as fully and freely as I can the train of thought which led me to think this.

나는 여러분 앞에서 이런 의견에 도달하게 한 사고 과정을 전부 다 자유롭게 말하려 한다

Perhaps if I lay bare the ideas, the prejudices, that lie behind this statement you will find that they have some bearing upon women and some upon fiction.

아마도 내가 이런 의견 뒤에 숨어 있는 생각들과 편견들을 드러내면, 여러분은 이런 생각들과 편견들이 여성과 창작에 어떤 관련이 있는지 발견하게 될 것이다.

At any rate, when a subject is highly controversial—and any question about sex is that—one cannot hope to tell the truth.

어쨌든, 주제가 매우 논쟁적인 경우 – 성에 관한 질문은 언제나 그렇겠지만 – 진실을 말하는 것을 기대할 수 없다.

One can only show how one came to hold whatever opinion one does hold.

단지 어떻게 그런 의견을 가지게 되었는지 보여줄 수 있을 뿐이다.

One can only give one's audience the chance of drawing their own conclusions as they observe the limitations, the prejudices, the idiosyncrasies of the speaker.

말하는 사람의 한계, 편견, 기이함을 관찰하면서 자신만의 결론을 내릴 수 있도록 청중들에게 기회를 제공할 수 있을 뿐이다.

Fiction here is likely to contain more truth than fact.

이런 면에서 창작물이 사실보다 더 많은 진실을 담고 있을 가능성이 크다.

Therefore I propose, making use of all the liberties and licences of a novelist, to tell you the story of the two days that preceded my coming here-how, bowed down by the weight of the subject which you have laid upon my shoulders, I pondered it, and made it work in and out of my daily life.

그래서 나는 소설가에게 허용된 모든 자유와 권리를 사용하여 당신에게 내가 여기 오기 전 이틀 동안의 이야기를 들려주려고 한다 - 어떻게 당신이 내 어깨에 지워준 주제의 무게에 짓눌려 그것을 고민하고 그것이 어떻게 나의 일상 속에서 그리고 일상과 상관없이 행해졌는지 말이다.

I need not say that what I am about to describe has no existence; Oxbridge is an invention; so is Fernham; 'I' is only a convenient term for somebody who has no real being.

내가 설명하려고 하는 것이 실제로는 존재하지 않는다는 말을 할 필요는 없을 것이다. 옥스브리지도 가상의 장소이며, 펀햄도 그렇다. '나'는 실존하지 않는 누군가를 일컫는 편리한 용어일 뿐이다.

Lies will flow from my lips, but there may perhaps be some truth mixed up with them; it is for you to seek out this truth and to decide whether any part of it is worth keeping.

거짓말이 내 입에서 흘러나올 것이지만, 그러나 그 안에는 몇 가지 진실도 섞여 있을 것이다. 이 진실을 찾아내어 조금이라두 가치가 있는지 없는지를 결정하는 것은 당신 몫이다.

If not, you will of course throw the whole of it into the waste-paper basket and forget all about it.

가치가 없다면, 그것들 모두를 휴지통에 던져 버리고 잊어도 좋을 것이다.

Here then was I (call me Mary Beton, Mary Seton, Mary Carmichael or by any name you please-it is not a matter of any importance) sitting on the banks of a river a week or two ago in fine October weather, lost in thought.

그때 나는 깊은 생각에 잠겨 (나를 메리 베톤, 메리 세튼, 메리 카마이클 또는 원하는 어떤 이름으로 불러도 된다 - 그건 중요하지 않다) 1, 2주 전 화창한 10월의 어느 날에, 강둑에 앉아 있었다.

That collar I have spoken of, women and fiction, the need of coming to some conclusion on a subject that raises all sorts of prejudices and passions, bowed my head to the ground.

내가 말해왔던 여성과 창작이라는 주제가 뻣뻣한 옷 깃처럼 느껴지고, 온갖 편견과 열정을 불러일으키는 이 주제에 대해 어떤 결론이든 도달해야 한다는 생각에 마음이 무거워 난 머리를 들지 못하고 있었다.

To the right and left bushes of some sort, golden and crimson, glowed with the colour, even it seemed burnt with the heat, of fire.

오른쪽과 왼쪽에는 몇몇 종류의 수풀들이 불처럼 황금색과 진홍색으로 빛나고 있었고, 불의 열기로 타는 듯했다.

On the further bank the willows wept in perpetual lamentation, their hair about their shoulders.
더 멀리 있는 강둑에서는 버드나무들이 어깨에 머리를 늘어뜨리고 끝없이 슬퍼하고 있는 듯했다.

The river reflected whatever it chose of sky and bridge and burning tree, and when the undergraduate had oared his boat through the reflections they closed again, completely, as if he had never been.
강물은 하늘이든, 다리든, 타오르는 나무든 모든 것들을 비추고 있었고, 한 학생이 보트의 노를 저어 강에 비친 모습들을 지나가면, 아무도 지나가지 않았던 것처럼, 다시 완전하게 그 모든 것들을 비추었다.

There one might have sat the clock round lost in thought.
거기에서는 누구든 생각에 잠겨 하루 종일 앉아 있을 수도 있었을 것이다.

Thought-to call it by a prouder name than it deserved-had let its line down into the stream.
사색이 - 실제보다 더 뻐기듯이 이름을 붙이자면 - 강물에 낚싯줄을 내리고 있었다.

It swayed, minute after minute, hither and thither among the reflections and the weeds, letting the water lift it and sink it until—you know the little tug-the sudden conglomeration of an idea at the end of one's line: and then the cautious hauling of it in, and the careful laying of it out?

사색의 흐름은 물에 비친 모습들과 잡초 사이에서 순간마다 이리저리 흔들리며, 물결에 따라 올라갔다 내려갔다 하며 - 당신도 그 미세하게 잡아당기는 듯한 느낌을 알 테지만 - 갑자기 그 낚싯줄 끝에 생각의 덩어리가 걸려들어, 조심스럽게 그 생각을 끌어들여서는, 조심스럽게 올려볼까 해서

Alas, laid on the grass how small, how insignificant this thought of mine looked; the sort of fish that a good fisherman puts back into the water so that it may grow fatter and be one day worth cooking and eating.

풀밭에 내려놓았는데, 이런, 나의 이런 사색이 얼마나 초라하고, 얼마나 보잘것없어 보였는지. 선량한 어부라면 요리해서 먹을 만큼 살이 찔 수 있도록 다시 돌려보냈을 물고기 정도의 사색이었다.

I will not trouble you with that thought now, though if you look carefully you may find it for yourselves in the course of what I am going to say.

지금 당장은 방금 했던 생각으로 당신을 괴롭게 하지는 않겠다. 그러나 나의 이야기가 진행되는 동안, 조심스럽게 찾아본다면 당신은 그것이

뭔지 스스로 알게 될 수도 있을 것이다.

But however small it was, it had, nevertheless, the mysterious property of its kind-put back into the mind, it became at once very exciting, and important; and as it darted and sank, and flashed hither and thither, set up such a wash and tumult of ideas that it was impossible to sit still.

하지만, 그럼에도 불구하고, 나의 생각이 아주 사소하기 했지만, 나름 신비한 면이 있어서 - 다시 생각해 보니, 흥미롭기도 하고 중요하기도 했다. 그 생각은 위로 올라왔다가 가라앉기도 하고, 여기저기에서 번뜩이고, 커다란 흐름과 소용돌이를 만들어서는 조용히 앉아 있을 수도 없었다.

It was thus that I found myself walking with extreme rapidity across a grass plot.

그래서 어느덧 나는 매우 빠르게 풀밭을 가로질러 걷고 있었다.

Instantly a man's figure rose to intercept me.

그러자 바로 한 남자의 형상이 보이더니 일어서서는 나를 가로막았다.

Nor did I at first understand that the gesticulations of a curious-looking object, in a cut-away coat and evening shirt, were aimed at me.

처음에는, 이브닝 셔츠와 짧은 코트를 입은 이상하게 보이는 물체의 몸

짓들이 나를 향한 것임을 이해하지 못했다.

His face expressed horror and indignation.

그의 얼굴은 공포와 분노를 나타내고 있었다.

Instinct rather than reason came to my help, he was a Beadle; I was a woman.

당황한 내게 도움이 되었던 것은 이성보다는 본능이었다. 관리인은 남자이고, 나는 여자이다.

This was the turf; there was the path.

여기는 잔디밭이고, 저기는 길이다.

Only the Fellows and Scholars are allowed here; the gravel is the place for me.

여기는 연구교수와 학자들만이 허락된 곳이고, 나는 자갈길로 가야 한다.

Such thoughts were the work of a moment.

이런 생각들은 순식간에 일어났다.

As I regained the path the arms of the Beadle sank, his face assumed its usual repose, and though turf is better walking than gravel, no very great harm was done.

내가 자갈길로 돌아가자 관리인은 팔을 내렸고, 그의 얼굴은 평상시의 평온을 되찾았다. 비록 잔디가 자갈보다 걷기에는 더 좋지만, 내가 큰 해를 입은 것도 아니었다.

The only charge I could bring against the Fellows and Scholars of whatever the college might happen to be was that in protection of their turf, which has been rolled for 300 years in succession they had sent my little fish into hiding.
그 대학이 뭐든 간에 그 대학의 연구교수와 학자들을 혹시라도 탓하고 싶었던 점이 있었다면, 그것은 300년 동안 계속 펼쳐져 있었던 잔디를 보호하려다 내 작은 물고기를 놓치게 만들었다는 사실이다.

What idea it had been that had sent me so audaciously trespassing I could not now remember.
어떤 생각으로 그렇게 대담하게 잔디밭을 가로질렀는지 이제는 기억할 수 없다.

The spirit of peace descended like a cloud from heaven, for if the spirit of peace dwells anywhere, it is in the courts and quadrangles of Oxbridge on a fine October morning.
평화의 기운이 하늘에서 구름처럼 내려왔다, 왜냐하면 평화의 기운이 어딘가에 있는 거라면, 어느 화창한 10월 아침의 옥스브리지 대학의 안뜰에 있었을 테니까.

Strolling through those colleges past those ancient halls the roughness of the present seemed smoothed away; the body seemed contained in a miraculous glass cabinet through which no sound could penetrate, and the mind, freed from any contact with facts (unless one trespassed on the turf again), was at liberty to settle down upon whatever meditation was in harmony with the moment.

고색창연한 홀들을 지나 이런 대학들을 통과하다 보니 거친 현실이 사라지는 것 같았다. 몸은 어떤 소리도 뚫고 들어올 수 없는 기적의 유리 장식장 안에 있는 것 같았고, 마음은, 현실과 그 어떤 접점 없이, (다시 잔디밭에 들어가지만 않는다면) 순간에 떠오르는 생각이 무엇이든 상관없이 편안해졌다.

As chance would have it, some stray memory of some old essay about revisiting Oxbridge in the long vacation brought Charles Lamb to mind—Saint Charles, said Thackeray, putting a letter of Lamb's to his forehead.

우연처럼, 긴 휴가 동안 옥스브리지를 다시 찾았던 오래된 에세이에 대한 희미한 몇 가지 기억으로 찰스 램이 생각이 났는데 – 태커레이는, 램의 편지를 이마에 대고, 성 찰스라고 말하기도 했던 것이 기억난다.

Indeed, among all the dead (I give you my thoughts as they came to me), Lamb is one of the most congenial; one to whom one would have liked to say, Tell me then how you wrote your essays?

사실, 모든 죽은 사람들 중에서 (지금 생각나는 대로 말하자면), 램은 가장 마음이 가는 사람들 중 한 명인데, 그 당시에는 에세이를 어떻게 썼는지 물어보고 싶은 사람이다.

For his essays are superior even to Max Beerbohm's, I thought, with all their perfection, because of that wild flash of imagination, that lightning crack of genius in the middle of them which leaves them flawed and imperfect, but starred with poetry.

내 생각으로는 그의 에세이는 완결성 있는 막스 비어봄의 에세이보다 더 훌륭하다, 왜냐하면 그의 거침없이 깜빡이는 상상력과 천재성에 번개가 치듯이 균열이 생겨 자신의 에세이 곳곳에 흠집을 만들고 불완전하게 하고 있지만 그의 시가 빛나기 때문이다.

Lamb then came to Oxbridge perhaps a hundred years ago.

램은 약 100년 전에 옥스브리지에 왔었다.

Certainly he wrote an essay-the name escapes me-about the manuscript of one of Milton's poems which he saw here.

분명 그는 여기서 봤던 밀턴 시 한 편의 원고에 대한 에세이를 썼다 - 이름은 기억나지 않는다.

It was Lycidas perhaps, and Lamb wrote how it shocked him

to think it possible that any word in Lycidas could have been different from what it is.

아마도 그 원고는 리시다스였을 것이고, 램은 리시다스의 그 어떤 단어는 어쩌면 당대와는 다를 수도 있을 거라는 것을 알고는 엄청난 충격을 받았다고 썼다.

To think of Milton changing the words in that poem seemed to him a sort of sacrilege.

밀턴이 그 시의 단어들을 계속 바꿨을 거라는 생각은 그에게 일종의 신성 모독처럼 느껴졌다.

This led me to remember what I could of Lycidas and to amuse myself with guessing which word it could have been that Milton had altered, and why.

이런 상념으로, 나는 리시다스에 대한 기억을 더듬으며, 밀턴이 어떤 단어를 바꾸었을지 그리고 왜 바꾸었을지 추측하면서 흥미로워졌다.

It then occurred to me that the very manuscript itself which Lamb had looked at was only a few hundred yards away, so that one could follow Lamb's footsteps across the quadrangle to that famous library where the treasure is kept.

그러다가 램이 봤던 바로 그 원고가 불과 몇백 야드 떨어진 곳에 있다는 사실이 떠올라, 램의 발자취를 따라 중정을 가로질러 그 보물이 있는 저 유명한 도서관까지 갈 수 있을 거라 생각했다.

Moreover, I recollected, as I put this plan into execution, it is in this famous library that the manuscript of Thackeray's Esmond is also preserved.

더 나아가, 이런 생각을 행동으로 옮기면서, 나는 태커레이의 에스몬드 원고도 이 유명한 도서관에 보관되어 있다는 것을 기억해 냈다.

The critics often say that Esmond is Thackeray's most perfect novel.

비평가들은 종종 에스몬드가 태커레이의 가장 완벽한 소설이라고 평가하기도 한다.

But the affectation of the style, with its imitation of the eighteenth century, hampers one, so far as I can remember; unless indeed the eighteenth-century style was natural to Thackeray-a fact that one might prove by looking at the manuscript and seeing whether the alterations were for the benefit of the style or of the sense.

그러나 18세기 문체를 따라 하는 듯한 그의 과장된 스타일이 부담스러웠던 것이 생각난다. 18세기 문체가 정말 태커레이에게 자연스러운 것이었는지는 - 그의 원고를 살펴보고 수정된 부분이 문체를 위한 것인지, 의미를 위한 것인지를 보면 입증할 수 있는 사실이다.

But then one would have to decide what is style and what is meaning, a question which-but here I was actually at the door which leads into the library itself.

그렇다면 문제가 무엇이고, 의미가 무엇인지를 결정해야 하는 것이 문제겠지만 – 그러나 나는 실제로 (그런 추상적인 결정 없이) 그 도서관 자체로 들어가는 문 앞에 섰다.

I must have opened it, for instantly there issued, like a guardian angel barring the way with a flutter of black gown instead of white wings, a deprecating, silvery, kindly gentleman, who regretted in a low voice as he waved me back that ladies are only admitted to the library if accompanied by a Fellow of the College or furnished with a letter of introduction.

내가 문을 열자, 바로 뭔가 힐책하는 듯하면서도 친절한 은발의 신사가, 하얀 날개가 아니라 검은 가운을 휘날리며 길을 막는 수호천사처럼, 나타나서는 내게 돌아가라는 손짓을 하며 유감스럽지만 여자들은 연구교수와 동행하거나 소개장을 지참했을 때만 도서관 출입이 가능하다고 낮은 목소리로 말했다.

That a famous library has been cursed by a woman is a matter of complete indifference to a famous library.

한 여자가 퍼붓는 저주가 그 유명한 도서관에게는 전혀 중요한 문제는 아니었으리라.

Venerable and calm, with all its treasures safe locked within its breast, it sleeps complacently and will, so far as I am concerned, so sleep for ever.

이 신망 있고 평온한 도서관은 모든 애장품들을 가슴에 안전하게 품은 채 , 적어도 나에게는, 흡족하게 잠든 듯했고, 앞으로도 그렇게 영원히 잠에서 깨지 않을 듯했다.

Never will I wake those echoes, never will I ask for that hospitality again, I vowed as I descended the steps in anger.

나는 계단을 내려가면서 분노에 차서 맹세했다, 거기 가서 다시는 소리치지도 않고 잘 봐달라고 부탁하지도 않겠다고.

Still an hour remained before luncheon, and what was one to do?

여전히 점심까지 한 시간이 남았는데, 무엇을 해야 할까?

Stroll on the meadows? sit by the river?

초원 위를 산책할까? 강가에 앉아 있을까?

Certainly it was a lovely autumn morning; the leaves were fluttering red to the ground; there was no great hardship in doing either.

분명 아름다운 가을 아침이었고, 나뭇잎들은 붉게 물들어 땅에 떨어지고 있었기에, 어느 것을 하든 별 어려울 것이 없었다.

But the sound of music reached my ear.

하지만 음악 소리가 들렸다.

Some service or celebration was going forward.

어떤 예배나 축하 행사가 벌어지고 있었다.

The organ complained magnificently as I passed the chapel door.

내가 예배당 문을 지나갈 때 오르간이 장엄하게 웅얼거리고 있었다.

Even the sorrow of Christianity sounded in that serene air more like the recollection of sorrow than sorrow itself; even the groanings of the ancient organ seemed lapped in peace.

기독교의 슬픔조차도 그 고요한 공기 속에서 슬픔의 기억처럼 들렸고, 낡은 오르간의 웅얼거리는 소리조차 평화에 잠겨 있는 듯했다.

I had no wish to enter had I the right, and this time the verger might have stopped me, demanding perhaps my baptismal certificate, or a letter of introduction from the Dean.

그런데 내가 권리가 있었더라도 들어가고 싶은 생각은 없었다, 이번에는 교회지기가 나를 가로막고는 세례 증명서나 학장으로부터의 소개장을 요구할지도 몰랐다.

But the outside of these magnificent buildings is often as

beautiful as the inside.

하지만 이런 멋진 건물들의 외관은 내부만큼이나 아름다운 경우가 많다.

Moreover, it was amusing enough to watch the congregation assembling, coming in and going out again, busying themselves at the door of the chapel like bees at the mouth of a hive.

더욱이, 마치 벌통 입구의 벌들처럼 사람들이 예배당 문에서 모이고, 들어갔다 나왔다 하는 것을 지켜보는 것은 꽤 재미있었다.

Many were in cap and gown; some had tufts of fur on their shoulders; others were wheeled in bath-chairs; others, though not past middle age, seemed creased and crushed into shapes so singular that one was reminded of those giant crabs and crayfish who heave with difficulty across the sand of an aquarium.

많은 이들이 모자에 가운을 걸치고 있었고, 어떤 이들은 어깨에 털을 두르고 있었으며, 휠체어를 탄 사람들도 있었다, 또 어떤 이들은 아직 중년을 넘지 않았는데도, 기형적으로 주름지고 쪼그라든 모습이어서, 마치 수족관의 모래 위를 힘겹게 건너는 거대한 게나 가재를 떠올리게 했다.

As I leant against the wall the University indeed seemed a

sanctuary in which are preserved rare types which would soon be obsolete if left to fight for existence on the pavement of the Strand.

벽에 기대어 서서 바라보니, 이 대학은 런던 스트랜드 거리에서 살아남으라고 내버려 둔다면 멸종될 희귀한 유형들을 보존하는 성역인 듯했다.

Old stories of old deans and old dons came back to mind, but before I had summoned up courage to whistle-it used to be said that at the sound of a whistle old Professor – instantly broke into a gallop-the venerable congregation had gone inside.

나이 든 학장과 교수들에 대한 옛이야기가 떠올라, 용기를 내서 휘파람을 한 번 불어 볼까 했지만 – 휘파람 소리가 나면 노 교수가 바로 뛰쳐나온다는 이야기가 전해진다- 그 덕망 있는 교인들은 이미 모두 안으로 들어갔다.

The outside of the chapel remained.

예배당의 외관은 그대로였다.

As you know, its high domes and pinnacles can be seen, like a sailing-ship always voyaging never arriving, lit up at night and visible for miles, far away across the hills.

아시다시피, 그 높은 돔과 첨탑들은 언제나 항해하는 배처럼 밤에도 불을 밝혀 멀리 언덕 너머에서도 보인다.

Once, presumably, this quadrangle with its smooth lawns, its massive buildings and the chapel itself was marsh too, where the grasses waved and the swine rootled.

한때, 아마도 매끄러운 잔디밭이 있는 이 중정과, 거대한 건물들, 그리고 예배당 자체도 잡초들이 물결치고 돼지가 뿌리를 파헤치던 습지였을 것이다.

Teams of horses and oxen, I thought, must have hauled the stone in wagons from far countries, and then with infinite labour the grey blocks in whose shade I was now standing were poised in order one on top of another, and then the painters brought their glass for the windows, and the masons were busy for centuries up on that roof with putty and cement, spade and trowel.

말과 소가 먼 나라에서 마차에 돌을 싣고 이곳까지 끌고 왔을 것이고, 그러고 나서 엄청난 노동으로 지금 내게 그늘을 드리고 있는 회색 블록들을 한 층씩 쌓았으며, 그 후에 화가들이 창문들에 맞춰 유리를 가져오고, 석공들이 수 세기 동안 그 지붕 위에서 삽과 흙손으로 회반죽을 바르며 바빴을 것이라고 생각한다.

Every Saturday somebody must have poured gold and silver out of a leathern purse into their ancient fists, for they had their beer and skittles presumably of an evening.

매주 토요일, 누군가는 가죽 주머니에서 금화와 은화를 그 옛날 사람들
의 손에 쏟아부어줬을 것이다. 저녁에는 그들도 맥주를 마시며 유흥을
즐겼을 테니까.

An unending stream of gold and silver, I thought, must have
flowed into this court perpetually to keep the stones coming
and the masons working; to level, to ditch, to dig and to drain.

나는 끊임없는 금과 은의 흐름이 이 안뜰로 계속 흘러들어와 돌을 가져
오게 하고 석공들을 일하게 했을 것이라고 생각했다. 땅을 고르고, 도랑
을 파고, 바닥을 파고 배수를 해야만 했을 테니까.

But it was then the age of faith, and money was poured
liberally to set these stones on a deep foundation, and when
the stones were raised, still more money was poured in from
the coffers of kings and queens and great nobles to ensure
that hymns should be sung here and scholars taught.

그러나 그때는 종교의 시대였고, 이 돌들을 튼튼한 기초 위에 세우기 위
해 돈을 아낌없이 쏟아부었고, 돌을 쌓아 올린 때에도, 여전히 더 많은
돈이 왕과 왕비와 귀족들의 금고에서 흘러들어와 사람들이 찬송가를 부
르게 하고 학자들을 육성해야 했을 것이다.

Lands were granted; tithes were paid.

사람들은 토지를 기증하기도 하고, 십일조를 내기도 했다.

And when the age of faith was over and the age of reason had come, still the same flow of gold and silver went on; fellowships were founded; lectureships endowed; only the gold and silver flowed now, not from the coffers of the king, but from the chests of merchants and manufacturers, from the purses of men who had made, say, a fortune from industry, and returned, in their wills, a bounteous share of it to endow more chairs, more lectureships, more fellowships in the university where they had learnt their craft.

그리고 종교의 시대가 끝나고 이성의 시대가 도래했을 때도 여전히 같은 금과 은은 계속 흘러 들어왔다. 장학 재단이 설립되고, 교수 기금이 기부되었다. 이제 금과 은은 왕의 금고가 아니라 상인들과 제조업자들의 금궤에서, 예를 들어 산업 활동으로 큰 재산을 모은 사람들의 지갑에서 흘러들어왔는데, 그들은 유언을 통해서, 재산의 많은 부분을 자신들이 기술을 배웠던 대학에 더 많은 의자, 더 많은 강좌, 더 많은 장학 기금을 위한 자금을 지원했다.

Hence the libraries and laboratories; the observatories; the splendid equipment of costly and delicate instruments which now stands on glass shelves, where centuries ago the grasses waved and the swine rootled.

그래서, 수 세기 전에는 잡초가 무성하고 돼지가 뿌리를 파던 곳에 도서관과 실험실, 관측소, 지금은 유리 선반 위에 고가의 정밀 기기들이 있게 된 것이다.

Certainly, as I strolled round the court, the foundation of gold and silver seemed deep enough; the pavement laid solidly over the wild grasses.

중정을 돌아다녀보니, 확실히 금과 은이 마련한 기초가 잘 자리 잡은 듯했다. 또한 잡초 위로는 튼튼하게 벽돌로 길이 나 있었고,

Men with trays on their heads went busily from staircase to staircase.

쟁반을 머리에 이고 계단에서 계단으로 바쁘게 오가는 사람들이 있었으며,

Gaudy blossoms flowered in window-boxes.

창문 화단에는 화려하게 꽃들이 피어 있었고,

The strains of the gramophone blared out from the rooms within.

방 안의 축음기에서는 음악 소리가 크게 울려 퍼졌다.

It was impossible not to reflect-the reflection whatever it may have been was cut short.

뭔가를 떠올릴 수밖에 없었다 - 그러나 그것이 무엇이든 금방 사라졌다.

The clock struck; it was time to find one's way to luncheon.

시계가 울렸다. 점심을 먹으러 갈 시간이었다.

It is a curious fact that novelists have a way of making us believe that luncheon parties are invariably memorable for something very witty that was said, or for something very wise that was done.

신기하게도, 소설가들은 오찬 모임은 언제나 뭔가 아주 재치 있는 말이나 아주 현명한 행동으로 기억된다고 우리를 믿게 하는 재주가 있다.

But they seldom spare a word for what was eaten.

그러나 그들은 먹은 것에 대해서는 한마디도 하지 않는 경우가 많다.

It is part of the novelist's convention not to mention soup and salmon and ducklings, as if soup and salmon and ducklings were of no importance whatsoever, as if nobody ever smoked a cigar or drank a glass of wine.

소설가들이 따르는 관습 중에 수프와 연어와 오리 고기는 언급하지 않는 것도 있을까? 그들은 마치 수프와 연어와 오리 고기가 전혀 중요하지 않은 것처럼, 아무도 시가를 피우거나 와인을 마시지 않았던 것처럼 이에 대해서는 한 마디도 하지 않는다.

Here, however, I shall take the liberty to defy that convention and to tell you that the lunch on this occasion began with soles, sunk in a deep dish, over which the college cook had spread a counterpane of the whitest cream, save that it was branded here and there with brown spots like the spots on the flanks of a doe.

그러나 여기에서 나는 내 멋대로 그 관례를 깨고 이번 오찬은 가자미로 시작되었다고 알린다. 대학 요리사가 깊은 접시에 담아 침대보 같은 아주 하얀 크림으로 덮은 가자미였는데, 사슴의 옆구리처럼 갈색 반점들이 언뜻언뜻 보였다.

After that came the partridges, but if this suggests a couple of bald, brown birds on a plate you are mistaken.

그 후에 꿩 요리가 나왔다, 하지만 머리에 털이 없는 갈색 새 두어 마리가 접시에 담겨 있었을 거라고 생각한다면 당신이 틀렸다.

The partridges, many and various, came with all their retinue of sauces and salads, the sharp and the sweet, each in its order; their potatoes, thin as coins but not so hard; their sprouts, foliated as rosebuds but more succulent.

푸짐하게 나온 꿩 요리와 쓰거나 달콤한 소스와 샐러드와 함께 나왔는데, 각각 순서대로 나왔다. 감자는 동전처럼 얇지만 딱딱하지 않았고, 새싹은 장미 꽃잎 같았지만 수분이 더 많았다.

And no sooner had the roast and its retinue been done with than the silent servingman, the Beadle himself perhaps in a milder manifestation, set before us, wreathed in napkins, a confection which rose all sugar from the waves.

구이 요리와 함께 나온 음식을 먹고 나자 바로 조용히 시중을 들던 관리인이, 한층 더 온화한 모습으로, 파도 위에 온통 설탕을 뿌린 듯한 냅킨으로 감싼 과자를 내놓았다.

To call it pudding and so relate it to rice and tapioca would be an insult.

그것을 푸딩이라고 부르거나 쌀이나 타피오카를 연관 지어 생각한다면 그건 모욕이 될 것이다.

Meanwhile the wineglasses had flushed yellow and flushed crimson; had been emptied; had been filled.

그동안 와인 잔은 노랗고 붉게 물들었고, 비워지면 다시 채워졌다.

And thus by degrees was lit, half-way down the spine, which is the seat of the soul, not that hard little electric light which we call brilliance, as it pops in and out upon our lips, but the more profound, subtle and subterranean glow which is the rich yellow flame of rational intercourse.

그렇게 점차 영혼이 머무는 곳이라 볼 수 있는 척추 중간쯤 아래쪽에 불이 켜졌다. 우리가 우리의 입으로 가볍게 받아들이고 내뱉는, 총명이라고 부르는 그 단단하고 작은 전구 같은 불빛이 아닌, 훨씬 신오하고, 미묘하며, 심연에서 올라오는 듯한 이성적인 대화의 풍성하고 노란 불꽃 같은 불이었다.

No need to hurry.

서두를 필요가 없었다.

No need to sparkle.

재치 있을 필요도 없었다.

No need to be anybody but oneself.

다른 사람이 될 필요도 없었다.

We are all going to heaven and Vandyck is of the company-in other words, how good life seemed, how sweet its rewards, how trivial this grudge or that grievance, how admirable friendship and the society of one's kind, as, lighting a good cigarette, one sunk among the cushions in the window-seat.

우리 모두는 반다이크과 함께 천국으로 가고 있었다. - 다시 말하면, 산다는 것이 얼마나 좋은지, 그 보상이 얼마나 달콤한지, 이 불만이나 저 불평이 얼마나 사소한지, 우정과 사람들과의 교제가 얼마나 감탄스러운 것인지를 느끼면서, 좋은 담배에 불을 붙이고, 창가 의자의 쿠션 속에 몸을 맡기고 있었다.

If by good luck there had been an ash-tray handy, if one had not knocked the ash out of the window in default, if things had been a little different from what they were, one would not have seen, presumably, a cat without a tail.

우연히 재떨이가 손에 닿을 수 있었다면, 그래서 창밖으로 재를 털지 않았더라면, 그 당시 상황이 조금 달랐다면, 꼬리 없는 고양이를 보지 않았을 것이다.

The sight of that abrupt and truncated animal padding softly across the quadrangle changed by some fluke of the subconscious intelligence the emotional light for me.
느닷없이 꼬리 잘린 고양이가 중정 너머로 천천히 걸어가는 광경은 잠재의식 속의 우연한 지각으로 나의 감정의 불빛을 달라지게 했다

It was as if someone had let fall a shade.
그것은 마치 누군가가 그림자를 드리운 것 같았다.

Perhaps the excellent hock was relinquishing its hold.
그 훌륭한 와인의 술기운이 사라지는 것 같았다.

Certainly, as I watched the Manx cat pause in the middle of the lawn as if it too questioned the universe, something seemed lacking, something seemed different.
잔디밭 중간에 맹크스 고양이마저도 우주를 의심하는 듯 멈춰있는 모습을 바라보자, 분명히, 뭔가 부족하게 느껴졌으며 뭔가 달라 보였다.

But what was lacking, what was different, I asked myself, listening to the talk?

사람들이 말하는 것을 들으면서, 부족한 것이 뭘까, 다른 것은 뭘까를 혼자 생각했다.

And to answer that question I had to think myself out of the room, back into the past, before the war indeed, and to set before my eyes the model of another luncheon party held in rooms not very far distant from these; but different.

그 질문에 답하기 위해 나는 그 방에서 나와서, 과거로, 전쟁 이전으로 생각을 돌려, 이곳에서 멀지 않은 곳에서 열렸던 또 다른 오찬 모임의 경우를 그려봐야만 했다. 그러나 달랐다.

Everything was different.

모든 것이 달랐다.

Meanwhile the talk went on among the guests, who were many and young, some of this sex, some of that; it went on swimmingly, it went on agreeably, freely, amusingly.

그동안 사람들 사이의 대화는 계속 이어지고 있었다. 많은 사람들이 있었고 젊은 사람들이 있었는데, 여성도 있었고, 남성도 있었으며, 대화는 물 흐르는 처럼 기분 좋고 자유롭게 즐겁게 이어졌다.

And as it went on I set it against the background of that other talk, and as I matched the two together I had no doubt that one was the descendant, the legitimate heir of the other.

대화가 이어질수록, 나는 이 대화의 배경을 과거의 대화가 있었던 모임 으로 삼아 보았다. 두 대화를 비교해 보면서 나는 이 대화는 이전 대화 의 후손이며 상속자라는 것에 의심의 여지를 가질 수가 없었다.

Nothing was changed; nothing was different save only here I listened with all my ears not entirely to what was being said, but to the murmur or current behind it.

아무것도 변하지 않았다. 달라진 것은 없었다. 달라진 것이 있다면 이곳 에서 나는 단지 단순하게 사람들이 말하는 것만 들었던 것이 아니라, 그 말 뒤에 흐르는 속삭임이나 흐름을 들었다는 것이다.

Yes, that was it-the change was there.

그렇다, 그것이다 - 변화는 거기에 있었다.

Before the war at a luncheon party like this people would have said precisely the same things but they would have sounded different, because in those days they were accompanied by a sort of humming noise, not articulate, but musical, exciting, which changed the value of the words themselves.

전쟁 이전의 이런 오찬 모임에서 사람들은 정확히 같은 말을 했을 것이 다. 하지만 다르게 들렸을 것이다. 왜냐하면 그 당시에는 또박또박 말하 지 않았고 약간 흥얼거리는 소리도 함께 섞여 있어, 음악같기도 하여 흥 미로왔는데, 이런 것들이 말 자체의 가치에 변화를 주었다.

Could one set that humming noise to words?

그 흥얼거리는 소리를 말로 표현할 수 있을까?

Perhaps with the help of the poets one could..

아마 시인이 도움을 준다면 가능할 수도 있을 것이다...

A book lay beside me and, opening it, I turned casually enough to Tennyson.

내 옆에 책이 놓여 있어서, 책을 펴서, 넘기다 보니 무심코 테니슨을 보게 되었다.

And here I found Tennyson was singing:

테니슨은 이렇게 노래하고 있었다.

There has fallen a splendid tear

찬란한 눈물이 떨어졌다네

From the passion-flower at the gate.

문가에 핀 시계꽃에서.

She is coming, my dove, my dear;

그녀가 다가오네, 나의 비둘기, 나의 사랑이여.

She is coming, my life, my fate;

그녀가 다가오네, 나의 생명, 나의 운명이여.

The red rose cries, 'She is near, she is near';
붉은 장미가 외치네, '그녀가 왔어요, 그녀가 왔어요'.

And the white rose weeps, 'She is late';
그러자 흰 장미가 흐느끼네, '늦었어요'.

The larkspur listens, 'I hear, I hear';
제비꽃이 귀를 기울이네, '소리가 들려, 들리고 있어'.

And the lily whispers, 'I wait'.
백합이 속삭이네, '난 기다리고 있어'.

Was that what men hummed at luncheon parties before the war? And the women?
이것이 전쟁 전 점심 파티에서 남자들이 흥얼거렸던 걸까? 그럼 여자들은?

My heart is like a singing bird
내 마음은 노래하는 새와 같네

Whose nest is in a water'd shoot;
그 새의 둥지는 물오른 나뭇가지라네.

My heart is like an apple tree
내 마음은 사과나무 같다네

Whose boughs are bent with thick-set fruit;1
그 가지들 커다란 과실들로 휘어져 있지.

My heart is like a rainbow shell
내 마음은 무지갯빛 조개와 같네

That paddles in a halcyon sea;
평온한 바닷속에서 노를 젓고 있지.

My heart is gladder than all these
내 마음은 이 모든 것보다 기쁘네

Because my love is come to me.
내 사랑이 나에게 왔으니.

Was that what women hummed at luncheon parties before the war?
전쟁 전 점심 파티에서 여인들이 이런 것을 흥얼거렸을까?

There was something so ludicrous in thinking of people humming such things even under their breath at luncheon parties before the war that I burst out laughing and had to explain my laughter by pointing at the Manx cat, who did look a little absurd, poor beast, without a tail, in the middle of the lawn.

전쟁 전의 점심 파티에서 사람들이 목소리를 낮춰서 그런 것을 흥얼거렸다고 생각하니 너무 웃겨서, 나는 웃음을 터뜨리고는, 꼬리 없는 맹크스 고양이를 가리키며 웃는 이유를 둘러대야 했다. 하긴 꼬리도 없는 가엾은 고양이가 잔디밭 한가운데 떡하니 있는 것은 조금 우스꽝스러워 보이기는 했다.

Was he really born so, or had he lost his tail in an accident?

그 고양이는 정말 태어날 때부터 그랬을까, 아니면 사고로 꼬리를 잃었을까?

The tailless cat, though some are said to exist in the Isle of Man, is rarer than one thinks.

꼬리 없는 고양이는, 맨 섬에 몇 마리 정도가 있다고 알려져 있지만, 생각보다 드물다.

It is a queer animal, quaint rather than beautiful.

아름답기보다는 특이하고 기이한 놈들이었다.

It is strange what a difference a tail makes-you know the sort of things one says as a lunch party breaks up and people are finding their coats and hats.

꼬리 하나에 이렇게 달라지다니 참 이상하다고, 점심 파티가 끝낸 사람들이 코트와 모자를 찾으면서 혀를 끌끌 찼다.

This one, thanks to the hospitality of the host, had lasted far into the afternoon.

이번 파티는 주인의 환대 덕분에 오후 늦게까지 이어졌다.

The beautiful October day was fading and the leaves were falling from the trees in the avenue as I walked through it.

아름다운 10월의 하루가 저물어 가고 있었고, 나뭇잎들이 가로수에서 떨어지고 있었고, 나는 그 길을 걸어갔다.

Gate after gate seemed to close with gentle finality behind me.

문들이 내 뒤에서 하나하나 부드럽게 종말을 말하는 듯 닫히고 있었다.

Innumerable beadles were fitting innumerable keys into well-oiled locks; the treasure-house was being made secure for another night.

수많은 교구 담당자들이 기름을 잘 바른 자물쇠들에 수많은 열쇠를 꽂고 있었다. 또 하룻밤 동안 그 보물들을 소장한 건물은 안전하게 지켜질 참이었다.

After the avenue one comes out upon a road-I forget its name-which leads you, if you take the right turning, along to Fernham.

그 길을 지나면, 지금 그 이름은 잊었지만, 오른쪽 길을 택하면 펀햄으로 이어지는 도로가 나온다.

But there was plenty of time.

시간은 충분했다.

Dinner was not till half-past seven.

저녁 식사는 7시 반이 되어야 할 것이다.

One could almost do without dinner after such a luncheon.

그렇게 대단한 점심 식사를 하면 거의 저녁 식사를 하지 않아도 된다.

It is strange how a scrap of poetry works in the mind and makes the legs move in time to it along the road.

이상하게도, 시의 한 구절이 마음속에 떠올라 그 길을 따라 발거음을 내딛게 했다.

Those words -

그 시구들은 -

There has fallen a splendid tear

찬란한 눈물이 떨어졌다네

From the passion-flower at the gate.
문가에 핀 시계꽃에서.

She is coming, my dove, my dear;
그녀가 다가오네, 나의 비둘기, 나의 사랑이여.

sang in my blood as I stepped quickly along towards Headingley.
헤딩리로 발걸음을 재촉하고 있을 때 내 핏속에서 노래하는 듯하더니,

And then, switching off into the other measure, I sang, where the waters are churned up by the weir:
그러다가 강물이 보 근처 마구 휘도는 지점에서 나는 다른 리듬의 시로 바꿔서 노래했다.

My heart is like a singing bird
내 마음은 노래하는 새와 같네

Whose nest is in a water'd shoot;
그 새의 둥지는 물오른 나뭇가지라네.

My heart is like an apple tree

내 마음은 사과나무 같다네

What poets, I cried aloud, as one does in the dusk, what poets they were!
이런 시인들은, 어둠 속에서 사람들이 하는 것처럼 나는 크게 소리를 질렀다, 도대체 이렇게 대단한 시인들은 뭐지!

In a sort of jealousy, I suppose, for our own age, silly and absurd though these comparisons are, I went on to wonder if honestly one could name two living poets now as great as Tennyson and Christina Rossetti were then.
일종의 질투심으로, 나는, 이런 비교가 어리석고 우스꽝스럽기는 하지만, 솔직히 당시의 테니슨과 크리스티나 로세티만큼 위대하다고 할 수 있는 현대 시인 두 명의 이름을 댈 수 있을까를 계속 생각했다.

Obviously it is impossible, I thought, looking into those foaming waters, to compare them.
물거품 이는 강물을 바라보며. 분명히 비교가 불가능하다고 생각했다.

The very reason why that poetry excites one to such abandonment, such rapture, is that it celebrates some feeling that one used to have (at luncheon parties before the war perhaps), so that one responds easily, familiarly, without troubling to check the feeling, or to compare it with any that one has now.

그들의 시가 사람들을 그토록 자기 자신을 잊은 채 황홀경에 빠지게 할 수 있었던 이유는, 그 시들이 (아마 전쟁 전 점심 파티였을 것이다) 사람들이 당시에 가졌던 감정들을 찬양하였기 때문이었다. 따라서 사람들은 그 시들이 주는 느낌들을 확인하거나, 자신들이 그 당시 가졌던 느낌과 시들의 느낌들을 비교하지 않고 쉽고 친숙하게 감응했던 것이다.

But the living poets express a feeling that is actually being made and torn out of us at the moment.

하지만 현대의 시인들은 우리에게서 바로 지금 만들어지고 찢겨 나오는 느낌을 표현한다.

One does not recognize it in the first place; often for some reason one fears it; one watches it with keenness and compares it jealously and suspiciously with the old feeling that one knew.

처음에는 사람들은 인식하지 못하거나, 종종 이러저러한 이유로 그 느낌을 두려워하기도 한다. 또 사람들은 그 느낌을 예민하게 관찰하면서 질투에 차서 의심하며 자신의 과거의 감정과 비교한다.

Hence the difficulty of modern poetry; and it is because of this difficulty that one cannot remember more than two consecutive lines of any good modern poet.

그래서 현대 시가 어려운 것이다. 그리고 이런 어려움 때문에 아무리 훌

룽하다 할지라도 현대 시의 두 줄 이상을 기억할 수 없는 것이다.

For this reason-that my memory failed me-the argument
flagged for want of material.

이런 이유로 - 기억나는 시가 없기 때문에 - 이런 비교 논쟁은 자료가
부족해서 시들해졌다.

But why, I continued, moving on towards Headingley, have
we stopped humming under our breath at luncheon parties?

하지만 왜, 헤딩리로 가는 동안 계속 생각했다, 우리는 점심 파티에서
소리 죽여 흥얼거리는 것을 멈췄을까?

Why has Alfred ceased to sing

왜 알프레드는 더 이상 노래하지 않았을까?

She is coming, my dove, my dear.

그녀가 다가오네, 나의 비둘기, 나의 사랑이여.

Why has Christina ceased to respond?

왜 크리스티나는 더 이상 반응하지 않았을까?

My heart is gladder than all these

내 마음은 이 모든 것보다 기쁘네

Because my love is come to me.
내 사랑이 나에게 왔으니.


Shall we lay the blame on the war?
전쟁 탓일까?


When the guns fired in August 1914, did the faces of men and women show so plain in each other's eyes that romance was killed?
1914년 8월, 전쟁이 발발했을 때, 남녀의 민낯이 서로의 눈에 너무 분명하게 드러나서 로맨스가 죽었을까?


Certainly it was a shock (to women in particular with their illusions about education, and so on) to see the faces of our rulers in the light of the shell-fire.
분명히, 포탄 불빛에 드러난 우리 지도자들의 민낯을 보는 것은 충격이었다 (특히 교육에 대하여 환상을 품고 있었던 여성들에게는)


So ugly they looked-German, English, French-so stupid.
지도자들은 너무나 추해 보였으며 – 독일, 영국, 프랑스 할 것 없이 – 너무나 어리석게 보였다.


But lay the blame where one will, on whom one will, the illusion which inspired Tennyson and Christina Rossetti to sing so passionately about the coming of their loves is far rarer now than then.

하지만 무엇을 비난하든, 누구를 비난하든, 테니슨과 크리스티나 로세티가 사랑의 도래에 대해 그렇게 열정적으로 노래할 수 있도록 영감을 준 환상은 지금은 그때보다는 훨씬 보기가 힘들다.

One has only to read, to look, to listen, to remember.

요즘은 그냥 읽고, 보고, 기억만 하면 된다.

But why say 'blame'?

그런데 왜 '비난한다'라고들 할까?

Why, if it was an illusion, not praise the catastrophe, whatever it was, that destroyed illusion and put truth in its place?

왜, 그것이 환상이었다면, 그 환상을 파괴하고 그 자리에 진실을 배치한 재앙을 칭송하지 않을까?

For truth...those dots mark the spot where, in search of truth, I missed the turning up to Fernham.

진실은... 그렇게 진실에 골몰해 있다가, 나는 펀햄으로 가는 길을 놓쳤다.

Yes indeed, which was truth and which was illusion?

그렇다면, 진짜, 진실은 무엇이고 환상은 무엇이었을까?

I asked myself.
나는 스스로에게 물었다.

What was the truth about these houses, for example, dim and festive now with their red windows in the dusk, but raw and red and squalid, with their sweets and their bootlaces, at nine o'clock in the morning?
예를 들어, 어스름 속에서 붉게 보이는 창문들로 지금은 흐릿하고 축제 분위기지만, 아침 9시에는 과자 부스러기들과 구두끈들로 여전히 붉고 엉망인 채로 너저분한 이 집들에 대한 진실은 무엇일까?

And the willows and the river and the gardens that run down to the river, vague now with the mist stealing over them, but gold and red in the sunlight—which was the truth, which was the illusion about them?
그리고 지금은 아무도 모르게 안개가 끼어 흐릿하지만, 햇빛을 받으면 황금빛과 붉은색으로 빛나던 저 버드나무들과 강, 강가에 이어지는 정원들 – 이들의 진실은 무엇이고, 환상은 무엇일까?

I spare you the twists and turns of my cogitations, for no conclusion was found on the road to Headingley, and I ask You to suppose that I soon found out my mistake about the turning and retraced my steps to Fernham.

이렇게 복잡다단한 생각은 그만하겠다. 왜냐하면 헤딩리로 가는 길에서 나는 그 어떤 결론도 내지 못했으며, 독자 여러분들은 내가 곧 길을 잘못 들었다는 실수를 깨닫고 펀햄으로 다시 되돌아가고 있다고 생각해주길 바란다.

As I have said already that it was an October day, I dare not forfeit your respect and imperil the fair name of fiction by changing the season and describing lilacs hanging over garden walls, crocuses, tulips and other flowers of spring.

이미 10월이라고 말했으니, 계절을 바꾸거나 정원 담벼락에 늘어져 있는 라일락, 크로커스, 튤립, 기타 다른 봄꽃들을 묘사하며 여러분들의 신뢰를 잃거나 지금 이 이야기가 픽션이라고 할지라도 말도 안 되는 이야기는 하지 않겠다.

Fiction must stick to facts, and the truer the facts the better the fiction-so we are told.

픽션은 사실에 충실해야 하며, 사실이 진실할수록 픽션도 더 나아진다고 - 우리는 들어왔다.

Therefore it was still autumn and the leaves were still yellow and falling, if anything, a little faster than before, because it was now evening (seven twenty-three to be precise) and a breeze (from the south-west to be exact) had risen.

아직 가을이었고, 나뭇잎들은 여전히 노랗게 떨어지고 있었으며, 오히려, 전보다 조금 더 빨리 떨어지고 있었다. 왜냐하면 그때는 저녁이었고 (정확히는 7시 23분) 바람이 (정확히는 남서쪽에서) 불기 시작했기 때문이다.

But for all that there was something odd at work:
하지만 그럼에도 불구하고 뭔가 이상한 일이 일어나고 있었다:

My heart is like a singing bird
내 마음은 노래하는 새와 같네

Whose nest is in a water'd shoot;
그 새의 둥지는 물오른 나뭇가지라네.

My heart is like an apple tree
내 마음은 사과나무 같다네

Whose boughs are bent with thick-set fruit;
그 가지들 커다란 과실들로 휘어져 있지.

perhaps the words of Christina Rossetti were partly responsible for the folly of the fancy-it was nothing of course but a fancy-that the lilac was shaking its flowers over the garden walls, and the brimstone butterflies were scudding

hither and thither, and the dust of the pollen was in the air.
아마도 크리스티나 로세티의 말들이 이 어리석은 상상에 부분적으로 책임이 있었을 것이다 - 물론 이건 단지 상상일 뿐이었지만 - 라일락 꽃이 정원 벽을 넘어 흔들리고 있었고, 유황 나비들이 여기저기 날아다니고, 꽃가루가 공기 중에 있었다.

A wind blew, from what quarter I know not, but it lifted the half-grown leaves so that there was a flash of silver grey in the air.
바람이 불었다, 어느 방향에서 불었는지는 모르겠지만, 그것은 반쯤 자란 잎을 들어 올려 공기 중에 은회색으로 번쩍이게 했다.

It was the time between the lights when colours undergo their intensification and purples and golds burn in window-panes like the beat of an excitable heart; when for some reason the beauty of the world revealed and yet soon to perish (here I pushed into the garden, for, unwisely, the door was left open and no beadles seemed about), the beauty of the world which is so soon to perish, has two edges, one of laughter, one of anguish, cutting the heart asunder.
색깔들이 강렬해지고 흥분된 심장의 박동처럼 보라색과 황금빛이 창문에 타오르는 빛과 빛 사이의 시간이었다, 왜인지 모르겠지만 세계의 아름다움이 드러나고 곧 사라질 것 같았다 (나는 정원으로 들어갔다, 왜냐하면 아무렇게나 문이 열려 있었고 관리인이 보이지 않았기 때문이었다), 세계의 아름다움은 곧 사라질 것이며, 웃음과 고통의 두 가지 날을 지닌 그 아름다움은 마음을 찢는 듯했다.

The gardens of Fernham lay before me in the spring twilight, wild and open, and in the long grass, sprinkled and carelessly flung, were daffodils and bluebells, not orderly perhaps at the best of times, and now wind-blown and waving as they tugged at their roots.

펀햄의 정원이 봄날의 황혼 속에 자연 그대로 내 앞에 펼쳐졌다, 높이 자란 풀 속에는 수선화와 초롱꽃들이 물기를 머금고 무심하게 흩어져 있었는데, 활짝 폈을 때도 정돈되지 않았을 듯했지만, 지금은 바람에 날리고 흔들리며 뿌리를 당기고 있는 듯했다.

The windows of the building, curved like ships' windows among generous waves of red brick, changed from lemon to silver under the flight of the quick spring clouds.

넘실대는 파도 같은 빨간 벽돌들 속에서 건물의 창문들은 배의 창문처럼 곡선으로 휘어져 빠르게 흘러가는 봄날의 구름 아래 레몬빛에서 은 빛으로 변하고 있었다.

Somebody was in a hammock, somebody, but in this light they were phantoms only, half guessed, half seen, raced across the grass-would no one stop her - and then on the terrace, as if popping out to breathe the air, to glance at the garden, came a bent figure, formidable yet humble, with her great forehead and her shabby dress-could it be the famous scholar, could it be J.... H.... herself?

해먹에 누군가 있었다, 그리고 또 누군가는. 하지만 이런 빛 속에서 그들은 본 것 같기도 하고 그렇지 않은 것 같기도 한 환영이었겠지만, 풀밭을 가로질러 달려가더니 - 아무도 그녀를 막을 수 없었을 것이다 - 마치 잠깐 바람이나 쐬고, 정원을 바라보기 위해 테라스에 어딘가 대단해 보이지만 소박한, 이마가 넓고 허름한 옷을 입는 한 구부정한 사람이 나타났다 - 그 유명한 학자, 정말로 J.... H.... 그녀였을까?

All was dim, yet intense too, as if the scarf which the dusk had flung over the garden were torn asunder by star or sword-the gash of some terrible reality leaping, as its way is, out of the heart of the spring. For youth.....

모든 것이 흐릿하지만, 강렬했다, 마치 황혼이 정원에 드리운 스카프가 별이나 칼에 갈기갈기 찢겨진 것처럼 - 어떤 끔찍한 현실의 상처가, 늘 그렇듯, 봄의 한가운데서 튀어나왔다. 왜냐하면 젊음은...

Here was my soup.

내 앞에 수프가 놓였다.

Dinner was being served in the great dining-hall.

큰 식당에서 정찬이 제공되고 있었다.

Far from being spring it was in fact an evening in October.

그때는 봄이 아니라 사실 10월의 저녁이었다.

Everybody was assembled in the big dining-room.

모든 사람들이 큰 식당에 모였다.

Dinner was ready.

식사가 준비되었는데,

Here was the soup.

수프는

It was a plain gravy soup.

평범한 그레이비 수프였다.

There was nothing to stir the fancy in that.

그 수프에는 상상력을 자극할 만한 것이 없었다.

One could have seen through the transparent liquid any
pattern that there might have been on the plate itself.

그 수프는 아주 투명해서 접시에 무늬가 있다면 어떤 무늬든 볼 수 있을
정도였다.

But there was no pattern.

하지만 무늬는 없었다.


The plate was plain.
접시는 평범했다.


Next came beef with its attendant greens and potatoes-a
homely trinity, suggesting the rumps of cattle in a muddy
market, and sprouts curled and yellowed at the edge, and
bargaining and cheapening and women with string bags on
Monday morning.
다음은 소고기 요리에 채소와 감자가 곁들여져 나왔다 - 집에서 흔히
같이 먹는 세 가지인 이들은 진흙 투성이인 시장에서 볼 수 있는 소 엉
덩이, 가장자리가 노랗게 말린 새싹, 그리고 월요일 아침에 망태기를 든
여성들을 떠올리게 했다.


There was no reason to complain of human nature's daily
food, seeing that the supply was sufficient and coal-miners
doubtless were sitting down to less.
일상적으로 사람들이 먹는 음식에 불평할 이유는 없었다, 음식 양은 충
분했다. 석탄을 캐는 광부들이 주선하고 모인 자리라면 분명 그렇게 많
이 차리지는 못했을 것이다.


Prunes and custard followed.
자두와 커스터드가 뒤따랐다.

And if anyone complains that prunes, even when mitigated by custard, are an uncharitable vegetable (fruit they are not), stringy as a miser's heart and exuding a fluid such as might run in misers' veins who have denied themselves wine and warmth for eighty years and yet not given to the poor, he should reflect that there are people whose charity embraces even the prune.

커스터드와 함께 먹으면 그나마 낫다는 자두는 구두쇠의 심장처럼 섬유질이 많아 씹기가 어렵고 80년 동안 자신에게나 가난한 사람들에게 와인이나 따뜻함을 베풀지 않고 살아온 구두쇠의 혈관에 흐를 법하게 즙이 겨우 나오는 야박한 야채라고 (자두는 과일이 아니라며) 불평하는 사람들은, 자두조차도 너그럽게 받아들이는 사람들이 있다는 사실을 상기해야 한다.

Biscuits and cheese came next, and here the water-jug was liberally passed round, for it is the nature of biscuits to be dry, and these were biscuits to the core.

그다음에 비스킷과 치즈가 나왔는데, 물병이 계속 전달되었다. 왜냐하면 비스킷이 원래 바삭거리는 거라지만, 이 비스킷은 속까지 말라비틀어진 것이었기 때문이다.

That was all.

그게 다였다.

The meal was over.

식사는 끝났다.


Everybody scraped their chairs back; the swing-doors swung violently to and fro; soon the hall was emptied of every sign of food and made ready no doubt for breakfast next morning.

사람들이 모두 의자를 뒤로 밀며 일어났다. 스윙 도어가 앞뒤로 심하게 여닫혔다. 그러고 나자 곧 홀에는 모든 음식의 흔적이 말끔히 사라지고, 다음날 아침 식사를 위한 준비를 모두 끝냈다.


Down corridors and up staircases the youth of England went banging and singing.

영국의 젊은이들이 노래를 부르며 쿵쾅쿵쾅 복도를 내려가거나 계단을 올라갔다.


And was it for a guest, a stranger (for I had no more right here in Fernham than in Trinity or Somerville or Girton or Newnham or Christchurch), to say, 'The dinner was not good,' or to say (we were now, Mary Seton and I, in her sitting-room), 'Could we not have dined up here alone?' for if I had said anything of the kind I should have been prying and searching into the secret economies of a house which to the stranger wears so fine a front of gaiety and courage.

손님이나 이방인이라면 (내 권리는 트리니티나 서머빌, 걸튼, 뉴넘, 크라이스트처치에서 처럼 여기 펀햄에서도 없었기에) '식사가 별로였습니다' 혹은 (메리 시턴과 나는 그녀의 거실에 앉아 있었는데) '여기서 우리만 식사할 수 없을까요?'라고 할 수 있었을 것이다, 내가 그와 비슷한 말이라도 혹시 했었다면, 이방인에게는 그토록 활기차고 당당하게 보이는 이 저택의 경제적인 사정을 몰래 엿보거나 그 비밀을 파해친 셈이 되리라.

No, one could say nothing of the sort.
아니, 아무도 그런 말을 할 수 없을 것이다.

Indeed, conversation for a moment flagged.
그래서 대화가 잠시 시들해졌다.

The human frame being what it is, heart, body and brain all mixed together, and not contained in separate compartments as they will be no doubt in another million years, a good dinner is of great importance to good talk.
인간의 몸이라는 것은 원래, 심장, 몸통, 두뇌는 모두 함께 섞여 있다, 또한 앞으로 백만 년 후에도 분명히 그럴 테지만, 각각의 영역에 따라 존재하지는 않을 것이다, 그래서 훌륭한 식사는 훌륭한 대화에 아주 중요한 것이다.

One cannot think well, love well, sleep well, if one has not dined well.

잘 먹지 않고서는 생각을 잘할 수도, 사랑을 잘할 수도, 잠을 잘 잘 수도 없다.

The lamp in the spine does not light on beef and prunes.
척추에 등불이 있다면 소고기와 자두정도를 먹고는 그 불이 밝혀지지는 않을 것이다.

We are all probably going to heaven, and Vandyck is, we hope, to meet us round the next corner-that is the dubious and qualifying state of mind that beef and prunes at the end of the day's work breed between them.
우리 모두가 천국에 가서, 바로 반다이크를 보는 것이 우리 모두의 소원 이다라고 말하는 것처럼, 하루의 일을 마친 후 소고기와 자두를 먹게 되면 이건 뭐지라는 마음과 뭔가 부족하다는 생각을 하게 된다.

Happily my friend, who taught science, had a cupboard where there was a squat bottle and little glasses-(but there should have been sole and partridge to begin with)-so that we were able to draw up to the fire and repair some of the damages of the day's living.
다행히도 과학을 가르쳤던 내 친구의 찬장에는 작은 병과 조그마한 잔 들이 있어서 (서대와 꿩요리로 시작했으면 좋았겠지만) 벽난로 앞에서 잔을 기울이며 하루를 살아내느라 받은 상처를 치료할 수 있었다.

In a minute or so we were slipping freely in and out among all
those objects of curiosity and interest which form in the mind
in the absence of a particular person, and are naturally to be
discussed on coming together again—how somebody has
married, another has not; one thinks this, another that; one
has improved out of all knowledge, the other most amazingly
gone to the bad—with all those speculations upon human
nature and the character of the amazing world we live in
which spring naturally from such beginnings.

잠시 후 우리는 호기심과 관심이 동해서 어떤 특정한 사람이 없을 때 얘
기하다가 그 사람이 다시 합류하게 되었을 때에도 자연스럽게 논의될
수 있는 온갖 주제들을 넘나들었다. 예를 들면, 어떻게 누구는 결혼을
하게 되었고, 누구는 결혼을 못하게 됐는지, 이 사람은 이렇게 생각하는
데, 저 사람은 저렇게 생각한다든지, 누구는 모든 지식을 뛰어넘어 더
성장했는데, 누구는 정말 놀라울 정도로 형편없어졌는지와 같은 것들
말이다. 그렇게 우리는 본래 인간의 본성과 우리가 살고 있는 이 놀라운
세상의 본래 성격에 대해 멋대로 어림짐작하였다.

While these things were being said, however, I became
shamefacedly aware of a current setting in of its own accord
and carrying everything forward to an end of its own.

이런 말들이 오가는 동안, 나는 부끄럽지만 어떤 흐름이 있어 저절로 만
들어지고 또 서설로 보는 것들을 한계까지 이끌고 간다는 깃을 그때 깨
닫게 되었다.

One might be talking of Spain or Portugal, of book or racehorse, but the real interest of whatever was said was none of those things, but a scene of masons on a high roof some five centuries ago.

스페인이나 포르투갈, 책이나 경주마에 대해 이야기하는 것처럼 보이지만, 어떤 말을 하던 나의 진짜 관심은 그런 것에 있었던 것이 아니라, 약 5세기 전 높은 지붕 위에서 일하는 석공들의 모습에 있었다.

Kings and nobles brought treasure in huge sacks and poured it under the earth.

왕과 귀족들이 큰 자루에 보물을 가지고 와 땅속에 쏟아붙는

This scene was for ever coming alive in my mind and placing itself by another of lean cows and a muddy market and withered greens and the stringy hearts of old men-these two pictures, disjointed and disconnected and nonsensical as they were, were for ever coming together and combating each other and had me entirely at their mercy.

장면이 마음속에 아주 생생하게 떠 올랐으며, 비쩍 마른 소, 진흙 투성이인 시장과 시든 채소, 노인들의 여윈 가슴과 같은 또 다른 장면과 함께 내 마음속에 자리 잡게 되었다. 이런 두 장면들은, 앞 뒤가 맞지 않지도 않고, 서로 연결되지도 않으며, 터무니없긴 했지만, 줄곧 같이 생각 나면서 서로 싸우며 나를 완전히 휘둘렀다.

The best course, unless the whole talk was to be distorted, was to expose what was in my mind to the air, when with good luck it would fade and crumble like the head of the dead king when they opened the coffin at Windsor.

대화 전체를 왜곡하지 않는 최선의 방책은 내 마음속에 품었던 것을 밖으로 드러내는 것이었다. 그러다가 운이 좋으면 내가 했던 말이 윈저궁에서 사람들이 관을 열었을 때 죽은 왕의 머리처럼 부서져 사라지는 것일 것이다.

Briefly, then, I told Miss Seton about the masons who had been all those years on the roof of the chapel, and about the kings and queens and nobles bearing sacks of gold and silver on their shoulders, which they shovelled into the earth; and then how the great financial magnates of our own time came and laid cheques and bonds, I suppose, where the others had laid ingots and rough lumps of gold.

그래서 나는 세턴 양에게 간략하게 그 오랜 세월 동안 예배당 지붕에서 일했던 석공들과 금과 은이 든 자루를 어깨에 메고 와서 삽으로 땅에 묻었던 왕과 왕비, 귀족들에 대한 이야기를 해주었다. 그러고 나서 어떻게 우리 시대의 대부호들이 이곳을 찾아와 수표나 채권을 바치고 다른 사람들은 금괴나 금덩어리들을 바치게 되었는지에 대해 말해주었다.

All that lies beneath the colleges down there, I said; but this college, where we are now sitting, what lies beneath its

gallant red brick and the wild unkempt grasses of the garden?
그런 모든 것들이 저 대학 건물들 아래에 놓여 있다고 말해 주었다. 하지만 우리가 지금 앉아 있는 이 대학 건물의 장중한 빨간 벽돌과 정원의 황량하고도 무성한 잔디 아래에는 무엇이 놓여 있을까?

What force is behind that plain china off which we dined, and (here it popped out of my mouth before I could stop it) the beef, the custard and the prunes?
우리가 식사했던 그 평범한 도자기, 그리고 (두서없이 튀어나온 말이긴 하지만) 소고기, 커스터드, 자두 뒤에는 어떤 힘이 있었을까?

Well, said Mary Seton, about the year 1860-Oh, but you know the story, she said, bored, I suppose, by the recital.
음, 메리 세톤이 말했다, 1860년경의 일인데-아, 하지만 그 이야기는 알잖아요, 그녀는 지루해하며 말했다, 아마도 그 이야기가 따분해서였을 것이다.

And she told me-rooms were hired.
그녀가 말했다-방을 빌리고

Committees met.
위원회가 소집되고.

Envelopes were addressed.

봉투에 주소를 적고


Circulars were drawn up.
회람문을 작성했었죠.


Meetings were held; letters were read out; so-and-so has promised so much; on the contrary, Mr - won't give a penny.
모임이 열렸고, 편지들을 소리 내어 읽었으며, 누구누구는 얼마를 약속했는데, 반대로, Mr -는 한 푼도 주지 않으려고 했죠.


The Saturday Review has been very rude.
세터데이 리뷰는 아주 무례했습니다.


How can we raise a fund to pay for offices?
사무실 운영 기금을 어떻게 모을 수 있을까요?


Shall we hold a bazaar?
바자회를 열어야 할까요?


Can't we find a pretty girl to sit in the front row?
앞줄에 앉을 귀여운 소녀, 어디 없을까요?


Let us look up what John Stuart Mill said on the subject.
존 스튜어트 밀이 이 주제에 대해 뭐라고 했는지 찾아보죠.

Can anyone persuade the editor of the - to print a letter?

-모 신문 편집장을 설득해서 편지를 실을 수 있게 할 수 있는 사람 어디 없나요?

Can we get Lady - to sign it?

-그 부인이 그 편지에 서명하게 할 수 있을까요?

Lady - is out of town.

- 그 부인이 현재 안 계신다고 하는군요.

That was the way it was done, presumably, sixty years ago, and it was a prodigious effort, and a great deal of time was spent on it.

이런 방식이 60년 전의 방식이었던 것 같다. 엄청난 노력이 들었고 많은 시간이 소요되었다.

And it was only after a long struggle and with the utmost difficulty that they got thirty thousand pounds together.[1]

상당히 시간이 지난 후에야 그들은 어렵게 어렵게 30,000 파운드를 겨우 모았다.[1]

So obviously we cannot have wine and partridges and servants carrying tin dishes on their heads, she said.

그래서 우리는 너무도 당연히 포도주와 꿩요리, 머리 위로 양철 접시를 나르는 하인들을 누릴 수 없다고 그녀는 말했다.

We cannot have sofas and separate rooms.
소파도 별도의 방을 가질 수 없으며,

'The amenities,' she said, quoting from some book or other, 'will have to wait.[2]
'편의 시설은', 그녀는 어떤 책에서 나온 구절을 인용하며 말했다, '기다려야 한다'고.[2]

At the thought of all those women working year after year and finding it hard to get two thousand pounds together, and as much as they could do to get thirty thousand pounds, we burst out in scorn at the reprehensible poverty of our sex.
그 당시 많은 여성들이 매년 그렇게 노력을 했음에도 2,000 파운드를 모으기가 어려웠고, 그래서 겨우 30,000 파운드를 모을 수 있었다는 것을 생각하면서, 우리는 여성의 비참한 가난에 혀를 끌끌 찼다.

What had our mothers been doing then that they had no wealth to leave us?
그럼 우리들의 어머니들은 그 당시 무엇을 하고 있었길래 우리에게 아무 재산도 남기지 못했을까?

Powdering their noses?

코에 분칠이나 하고 있었을까?


Looking in at shop windows?
가게 창문 안이나 들여다보고 있었을까?


Flaunting in the sun at Monte Carlo?
몬테 카를로의 햇살을 받으며 끼나 부리고 있었을까?


There were some photographs on the mantelpiece.
벽난로 위에는 사진 몇 장이 놓여 있었다.


Mary's mother-if that was her picture-may have been a wastrel in her spare time (she had thirteen children by a minister of the church), but if so her gay and dissipated life had left too few traces of its pleasures on her face.
메리의 어머니는 - 사진 속의 인물이 메리의 어머니였다면 - 여가 시간을 게으르게 보냈을 수도 있긴 하지만, (그녀는 교회의 목사와 13명의 자녀를 낳았다), 그렇다 해도 그녀의 얼굴에서는 화려하고 방탕한 삶을 살았던 사람의 즐거움의 흔적을 찾아볼 수 없었다.


She was a homely body; an old lady in a plaid shawl which was fastened by a large cameo; and she sat in a basket chair, encouraging a spaniel to look at the camera, with the amused, yet strained expression of one who is sure that the dog will move directly the bulb is pressed.

사진 속의 그녀는 가정적인 사람이었다. 커다란 브로치로 고정한 격자 무늬 숄을 두르고, 버들가지로 엮어 만든 의자에 앉아 집에서 키우는 개가 카메라를 보게 하려고 했지만, 카메라 플래시가 터질 때 개가 움직일 것이라고 확신하는 사람의 즐겁지만 긴장된 표정을 짓고 있었다.

Now if she had gone into business; had become a manufacturer of artificial silk or a magnate on the Stock Exchange; if she had left two or three hundred thousand pounds to Fernham, we could have been sitting at our ease to-night and the subject of our talk might have been archaeology, botany, anthropology, physics, the nature of the atom, mathematics, astronomy, relativity, geography.

그런데 만약 그녀가 사업을 벌였다면, 인조 실크 제조업자가 되거나 증권 거래소의 거물이 되었더라면, 펀햄 대학에 20만 파운드나 30만 파운드를 남겼더라면, 우리는 오늘 밤 편안히 앉아 고고학, 식물학, 인류학, 물리학, 원자의 본질, 수학, 천문학, 상대성 이론, 지리학을 주제로 이야기를 나눌 수 있었을 것이다.

If only Mrs Seton and her mother and her mother before her had learnt the great art of making money and had left their money, like their fathers and their grandfathers before them, to found fellowships and lectureships and prizes and scholarships appropriated to the use of their own sex, we might have dined very tolerably up here alone off a bird and a bottle of wine; we might have looked forward without undue confidence to a pleasant and honourable lifetime spent in the shelter of one of the liberally endowed professions.

만약 세톤 부인과 그녀의 어머니, 그들의 어머니의 어머니들이 돈 벌기라는 기술을 배워서, 그들의 아버지와 그들의 아버지의 아버지들처럼, 연구 기금, 강의 기금, 상금, 장학금을 조성해서 자신들과 같은 성(性)을 갖은 사람들이 전용할 수 있도록 했다면, 우리는 우리끼리 꿩요리에 와인을 곁들이며 꽤 멋들어지게 식사를 할 수 있었을 것이고, 돈 걱정 없는 전문직이라는 보호막 속에서 꼭 그럴 거라는 확신은 하지 않겠지만 즐겁고 명예로운 평생을 보낼 수 있기를 기대할 수 있었을 것이다.

We might have been exploring or writing; mooning about the venerable places of the earth; sitting contemplative on the steps of the Parthenon, or going at ten to an office and coming home comfortably at half-past four to write a little poetry.

그랬더라면 우리는 탐험하거나 글을 쓸 수도 있었을 것이고, 지구의 유서 깊은 장소들을 귀신처럼 어슬렁 거리며, 파르테논 계단에 앉아 사색하거나, 아침 10시에 사무실에 갔다가 편안히 4시 반에 집에 와서는 짧은 시 한 편을 쓰고 있었을 수도 있다.

Only, if Mrs Seton and her like had gone into business at the age of fifteen, there would have been—that was the snag in the argument-no Mary.

하지만, 세톤 부인과 그녀 같은 사람들이 15살에 사업을 시작했다면, – 이게 예상하지 못했던 복병이었기는 하지만 – 메리는 존재하지 않았을 것이다.

What, I asked, did Mary think of that?

그 점에 대해 메리에게 어떻게 생각하느냐고, 내가 물었다.

There between the curtains was the October night, calm and lovely, with a star or two caught in the yellowing trees.

커튼 사이로 10월의 밤은 고요하고 아름다웠고, 노랗게 단풍이 들어가는 나무들 사이로 별이 하나둘 걸려 있었다.

Was she ready to resign her share of it and her memories (for they had been a happy family, though a large one) of games and quarrels up in Scotland, which she is never tired of praising for the fineness of its air and the quality of its cakes, in order that Fernham might have been endowed with fifty thousand pounds or so by a stroke of the pen?

펜대 한 번을 굴려서 펀햄에 50,000파운드 정도를 기부하려고, 그녀는 이렇게 아름다운 밤을 누리는 것을 포기할 수 있었을까? 또 그녀가 지치지도 않고 칭송하던 스코틀랜드의 청명한 공기, 그곳의 그 고급스러운 케이크와 게임도 하고 논쟁도 빌였던 기억들을 (그녀의 가족은 데기족이었지만 행복한 가족이었기에) 포기할 수 있었을까?

For, to endow a college would necessitate the suppression of families altogether.

한 대학에 기부하려면 가족 전체가 허리띠를 졸라매야 했을 테니까.

Making a fortune and bearing thirteen children-no human being could stand it.

재산을 모으면서 13명의 아이를 낳는 것- 그것은 그 어떤 인간도 견뎌 낼 수 없는 것이다.

Consider the facts, we said.

있는 그대로 생각해 보자.

First there are nine months before the baby is born.

먼저 아기가 태어나려면 9개월이 지나야 한다.

Then the baby is born.

그다음 아기가 태어난다.

Then there are three or four months spent in feeding the baby.

다음 아기에게 젖을 물리는 기간이 3-4개월이다.

After the baby is fed there are certainly five years spent in playing with the baby.

젖을 떼면, 5년간 아기와 놀아줘야 한다.

You cannot, it seems, let children run about the streets.
아이들이 길거리에서 뛰어다니도록 할 수는 없을 테니까.

People who have seen them running wild in Russia say that
the sight is not a pleasant one.
러시아에서 아이들이 길거리에서 뛰어다니는 것을 본 사람들은 그 광경
이 그리 좋아 보이지는 않았다고 말한다.

People say, too, that human nature takes its shape in the
years between one and five.
흔히들, 인간의 본성이 1살에서 5살 사이에 형성된다고 말하기도 한다.

If Mrs Seton, I said, had been making money, what sort of
memories would you have had of games and quarrels?
세톤 부인이 돈을 벌고 있었다면, 당신은 게임과 논쟁에 대해 어떤 기억
을 갖게 되었을까?

What would you have known of Scotland, and its fine air and
cakes and all the rest of it?
또 당신이 스코틀랜드에 대해서 무엇을 알게 되었으며, 그곳의 상쾌한
공기, 그곳의 케이크, 그 외 스코틀랜드에 대해서 당신이 알게 된 것이
무엇일까?

But it is useless to ask these questions, because you would never have come into existence at all.

하지만 이런 질문을 하는 것은 쓸모없다, 왜냐하면 당신은 존재하지도 않았을 테니까.

Moreover, it is equally useless to ask what might have happened if Mrs Seton and her mother and her mother before her had amassed great wealth and laid it under the foundations of college and library, because, in the first place, to earn money was impossible for them, and in the second, had it been possible, the law denied them the right to possess what money they earned.

게다가, 세톤 부인과 그녀의 어머니, 그 어머니의 어머니가 큰 부를 축적해 대학과 도서관의 기초를 세웠다면 어떻게 되었을지 묻는 것도 쓸모없다, 왜냐하면 첫째로 그들이 돈을 버는 것은 불가능했고, 둘째로 가능했다 해도 법률적으로 자신들이 번 돈을 소유할 권리가 없었기 때문이다.

It is only for the last forty-eight years that Mrs Seton has had a penny of her own.

세톤 부인이 자신의 돈을 1 페니라도 소유할 수 있었던 기간은 고작 지난 48년 동안이었다.

For all the centuries before that it would have been her

husband's property-a thought which, perhaps, may have had its share in keeping Mrs Seton and her mothers off the Stock Exchange.

그전에는 언제나 세톤 부인의 돈은 그녀의 남편의 소유였을 것이다 - 아마도 이것이 세톤 부인과 그녀의 어머니들이 증권 거래소를 피하게 한 이유 중 하나일 수도 있다.

Every penny I earn, they may have said, will be taken from me and disposed of according to my husband's wisdom-perhaps to found a scholarship or to endow a fellowship in Balliol or Kings, so that to earn money, even if I could earn money, is not a matter that interests me very greatly.

내가 돈을 번다고 해도 그 돈은 내 것이 아니고 내 남편의 생각한 대로 쓰여서, 장학금을 설립하거나 베일리얼이나 킹스 칼리지의 연구 기금으로 기증되겠지. 그래서 돈을 버는 것은, 내가 돈을 벌 수 있다 하더라도, 나에게는 그렇게 흥미로운 일이 아니야라고 그들이 말했을지도 모른다.

I had better leave it to my husband.

차라리 남편에게 맡기는 것이 낫겠어.

At any rate, whether or not the blame rested on the old lady who was looking at the spaniel, there could be no doubt that for some reason or other our mothers had mismanaged their affairs very gravely.

어쨌든, 그 스패니얼을 바라보고 있는 노부인이 비난을 받을 만하든 아니든, 우리의 어머니들이 어떤 이유로든 자신들의 일들을 아주 잘못 처리해 왔다는 것은 의심의 여지가 없다.

Not a penny could be spared for 'amenities'; for partridges and wine, beadles and turf, books and cigars, libraries and leisure.

편의시설을 위해서는 한 푼도 비축할 수 없었다. 꿩요리와 포도주, 대학의 직원과 잔디, 책과 시가, 도서관과 여가를 위해서 말이다.

To raise bare walls out of bare earth was the utmost they could do.

텅 빈 땅에 기본적인 벽을 세우는 것이 그들이 할 수 있는 최선의 일이었다.

So we talked standing at the window and looking, as so many thousands look every night, down on the domes and towers of the famous city beneath us.

그래서 우리는 창가에 서서, 수많은 사람들이 매일 밤 그러하듯이, 창 아래 펼쳐져 있는 그 유명한 도시의 돔과 탑들을 내려다보며 이야기를 나누었다.

It was very beautiful, very mysterious in the autumn moonlight.

가을 달빛 속에서 그 풍경은 아주 아름답고 신비로웠고,

The old stone looked very white and venerable.
오래된 돌은 아주 하얗고 숭고해 보였다.

One thought of all the books that were assembled down there; of the pictures of old prelates and worthies hanging in the panelled rooms; of the painted windows that would be throwing strange globes and crescents on the pavement; of the tablets and memorials and inscriptions; of the fountains and the grass; of the quiet rooms looking across the quiet quadrangles.
누구나 저기 아래 모아둔 모든 책들, 패널로 덧댄 방에 걸려 있는 옛 주교와 저명인사들의 그림, 보도 위에 기이한 공 모양과 초승달 무늬를 드리우고 있는 색 유리창들, 명판과 기념물과 비문들, 분수와 잔디, 고요한 사각형 안뜰을 내려다보는 고요한 방들을 생각했을 것이다.

And (pardon me the thought) I thought, too, of the admirable smoke and drink and the deep armchairs and the pleasant carpets; of the urbanity, the geniality, the dignity which are the offspring of luxury and privacy and space.
그리고 (이런 생각을 용서해 주길 바란다) 나 또한 좋은 담배와 음료와 푹신한 안락의자와 쾌적한 카펫을, 그리고 사치스러움과 프라이버시, 공간이 제공하는 도회 생활, 온화함, 품위를 생각했다.

Certainly our mothers had not provided us with any thing comparable to all this-our mothers who found it difficult to scrape together thirty thousand pounds, our mothers who bore thirteen children to ministers of religion at St Andrews.

분명히 우리의 어머니들은 우리에게 이 모든 것에 비견될 만한 것을 제공하지 않았다 - 우리의 어머니들은 30,000 파운드를 모으기도 어려웠으며, 세인트 앤드루스의 목사에게서 13명의 자녀를 낳아야만 했다.

So I went back to my inn, and as I walked through the dark streets I pondered this and that, as one does at the end of the day's work.

그래서 나는 숙소로 돌아갔고, 어두운 거리를 걸으며 이것저것을 생각했다, 하루의 일을 끝낸 후 사람들이 하는 것처럼.

I pondered why it was that Mrs Seton had no money to leave us; and what effect poverty has on the mind; and what effect wealth has on the mind; and I thought of the queer old gentlemen I had seen that morning with tufts of fur upon their shoulders; and I remembered how if one whistled one of them ran; and I thought of the organ booming in the chapel and of the shut doors of the library; and I thought how unpleasant it is to be locked out; and I thought how it is worse perhaps to be locked in; and, thinking of the safety and prosperity of the one sex and of the poverty and insecurity of the other and of the effect of tradition and of the lack of tradition upon the mind of a writer, I thought at last that it was time to roll up the crumpled skin of the day, with its arguments and its impressions and its anger and its laughter, and cast it into the hedge.

나는 왜 세톤 부인은 우리에게 남길 돈이 없었을까, 가난이 정신에 미치는 영향과 부가 정신에 미치는 영향이 무엇일까를 곰곰이 생각했다. 그리고 그날 아침 어깨에 모피 술을 둘렀던 그 이상한 노인들을 생각했다. 그리고 누군가가 휘파람을 불면 그들 중 한 명이 달려갔던 것을 기억했다. 또한 예배당에서 울려 퍼지는 오르간 소리와 도서관의 닫힌 문을 생각했다. 그리고 그 안으로 들어갈 수 없는 것이 얼마나 불쾌한 것인지를 생각했다. 그리고 어쩌면 안에 갇혀 나갈 수 없는 것이 더 나쁠지도 모른다고 생각했다. 한쪽 성(性)의 안전과 번영과 다른 성(性)의 가난과 불안정, 전통과 전통의 부재가 작가의 정신에 미치는 영향을 생각하며, 나는 마침내 논쟁과, 감명과, 분노와, 웃음으로 일그러져 버린 그날을 둘둘 말아서 울타리 안쪽으로 던져버릴 시간이라고 생각했다.

A thousand stars were flashing across the blue wastes of the sky.

수많은 별들이 푸른 황무지 같은 하늘에서 반짝이고 있었다.

One seemed alone with an inscrutable society.

한 사람만이 외롭게 이해할 수 없는 사회와 대치하고 있는 것 같다.

All human beings were laid asleep-prone, horizontal, dumb.

모든 사람들은 잠들어 누워 있었다 - 엎드려서, 수평으로, 말없이.


Nobody seemed stirring in the streets of Oxbridge.

옥스브리지 거리에서는 꿈틀대는 사람은 아무도 없는 것 같았다.


Even the door of the hotel sprang open at the touch of an invisible hand-not a boots was sitting up to light me to bed, it was so late.

호텔의 문조차 열어주는 이가 없었다 - 구두닦이도 침대로 향하는 나에게 불을 밝혀주려고 기다리지 않았다, 너무 늦은 시간이었다.

[1] We are told that we ought to ask for £30,000 at least...It is not a large sum, considering that there is to be but one college of this sort for Great Britain, Ireland and the Colonies, and considering how easy it is to raise immense sums for boys' schools.
[1] 적어도 30,000 파운드가 필요하다는 소리를 들었다... 영국, 아일랜드, 영국 식민지 전체에서 이런 대학이 단 하나라는 사실과 남학교를 위해 막대한 기금을 모으는 것이 얼마나 쉬운지를 고려하면 그리 큰 금액은 아니었다.

But considering how few people really wish women to be educated, it is a good deal.
하지만 여성이 교육받기를 진정으로 원하는 사람이 얼마나 적었는지를 생각하면, 30,000 파운드는 상당히 많은 금액이었다.

'–Lady Stephen, Emily Davies and Girton College.
'– 레이디 스티븐, 에밀리 데이비스와 거튼 컬리지

[2] Every penny which could be scraped together was set aside for building, and the amenities had to be postponed.
[2]한 푼이라도 긁어모아서 건물을 짓기 위해 따로 떼어 두다 보니, 부대 시설들은 연기될 수밖에 없다.

–R. Strachey, The Cause.
–R. 스트래치, 대의